まちごとインド
北インド 001

はじめての北インド
デリー・ジャイプル・アーグラ・バラナシ
［モノクロノートブック版］

インド洋に突き出した南アジアの大国インド。10億人を超える人口が暮らし、多様な民族、多彩な文化をもつこの国にあって、北インドにはガンジス平原が広がり、魅力的な街が点在する。

インドの政治、経済、文化の中心地である首都デリー。「地上でもっとも美しい」と言われる建築タージ・マハルが残るアーグラ。焼かれた遺灰をガンジス河に流し、そのそばで沐浴する人々の姿が見られるバラナシ。

こうした街は3000年の歴史のなかで、北西方向から北インドに侵入した諸民族が伝えたバラモンやイスラム文化と土着の文化が融合することで育まれてきた。また大国インドの首都として急速な開発が進むデリーでは、世界中から人、もの、企業が集まっている。

Coca-Cola

Asia City Guide Production
North India 001

North India

उत्तर भारत/ਉੱਤਰੀ ਭਾਰਤ/
شمالی ہندوستان

まちごとインド　北インド 001

はじめての北インド

デリー・ジャイプル・アーグラ・バラナシ

「アジア城市（まち）案内」制作委員会
まちごとパブリッシング

まちごとインド
北インド 001
はじめての北インド

Contents

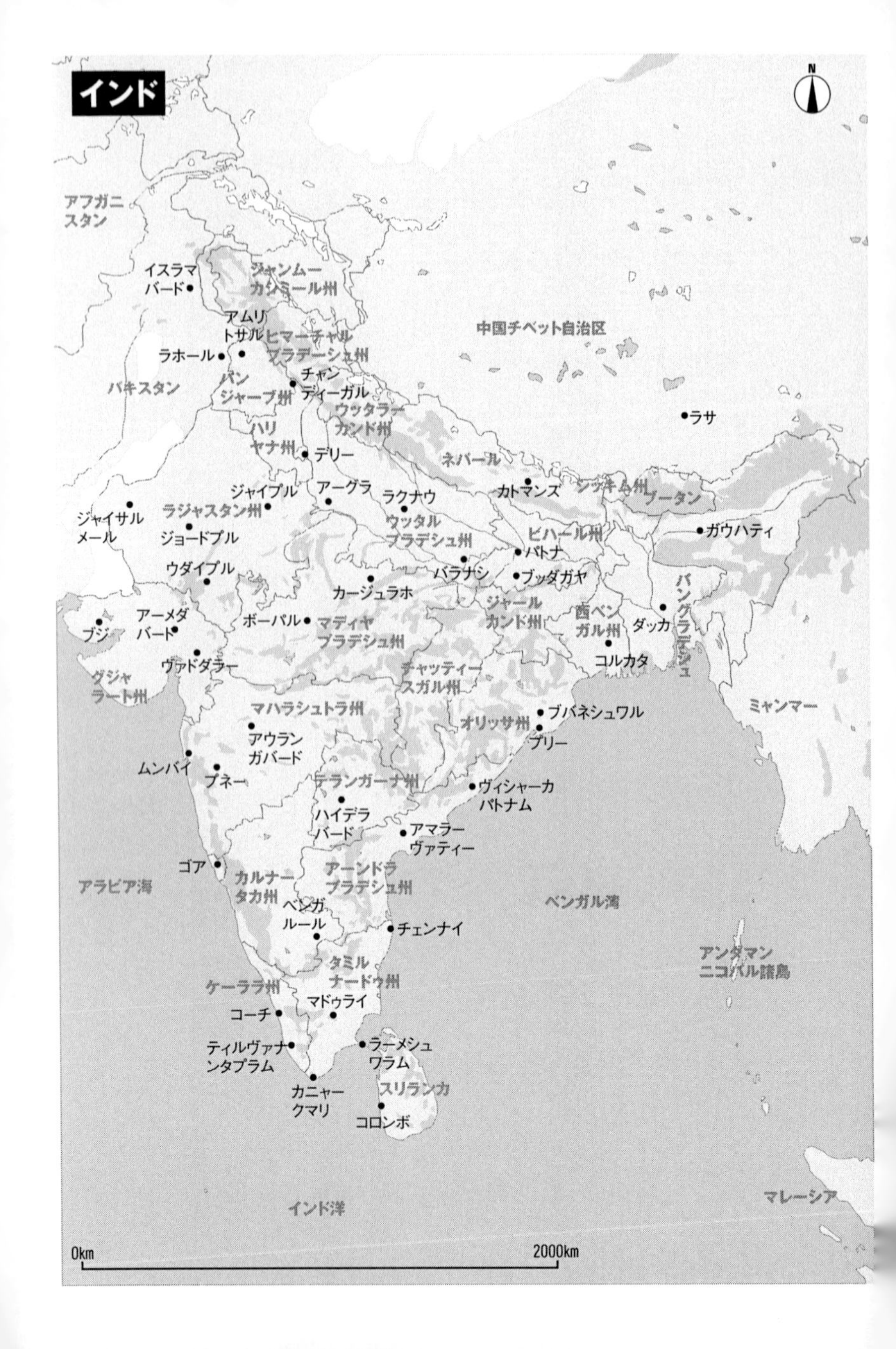
インド
N
アフガニスタン
イスラマバード
ジャンムーカシミール州
アムリトサル
ヒマーチャルプラデーシュ州
中国チベット自治区
ラホール
パキスタン
パンジャーブ州
チャンディーガル
ウッタラーカンド州
ラサ
ハリヤナ州
デリー
ネパール
ジャイプル
アーグラ
ラクナウ
カトマンズ
シッキム州
ブータン
ジャイサルメール
ラジャスタン州
ジョードプル
ウッタルプラデシュ州
ガウハティ
ビハール州
パトナ
バラナシ
ウダイプル
ブッダガヤ
カージュラホ
ジャールカンド州
バングラデシュ
アーメダバード
ブジ
ボーパル
マディヤプラデシュ州
西ベンガル州
ダッカ
ヴァドダラー
コルカタ
グジャラート州
チャッティースガル州
ミャンマー
マハラシュトラ州
ブバネシュワル
オリッサ州
プリー
アウランガバード
ムンバイ
プネー
テランガーナ州
ヴィシャーカパトナム
ハイデラバード
アマラーヴァティー
ゴア
アーンドラプラデシュ州
アラビア海
カルナータカ州
ベンガル湾
ベンガルール
チェンナイ
アンダマンニコバル諸島
タミルナードゥ州
ケーララ州
マドゥライ
コーチ
ティルヴァナンタプラム
ラーメシュワラム
カニャークマリ
スリランカ
コロンボ
マレーシア
インド洋
0km
2000km

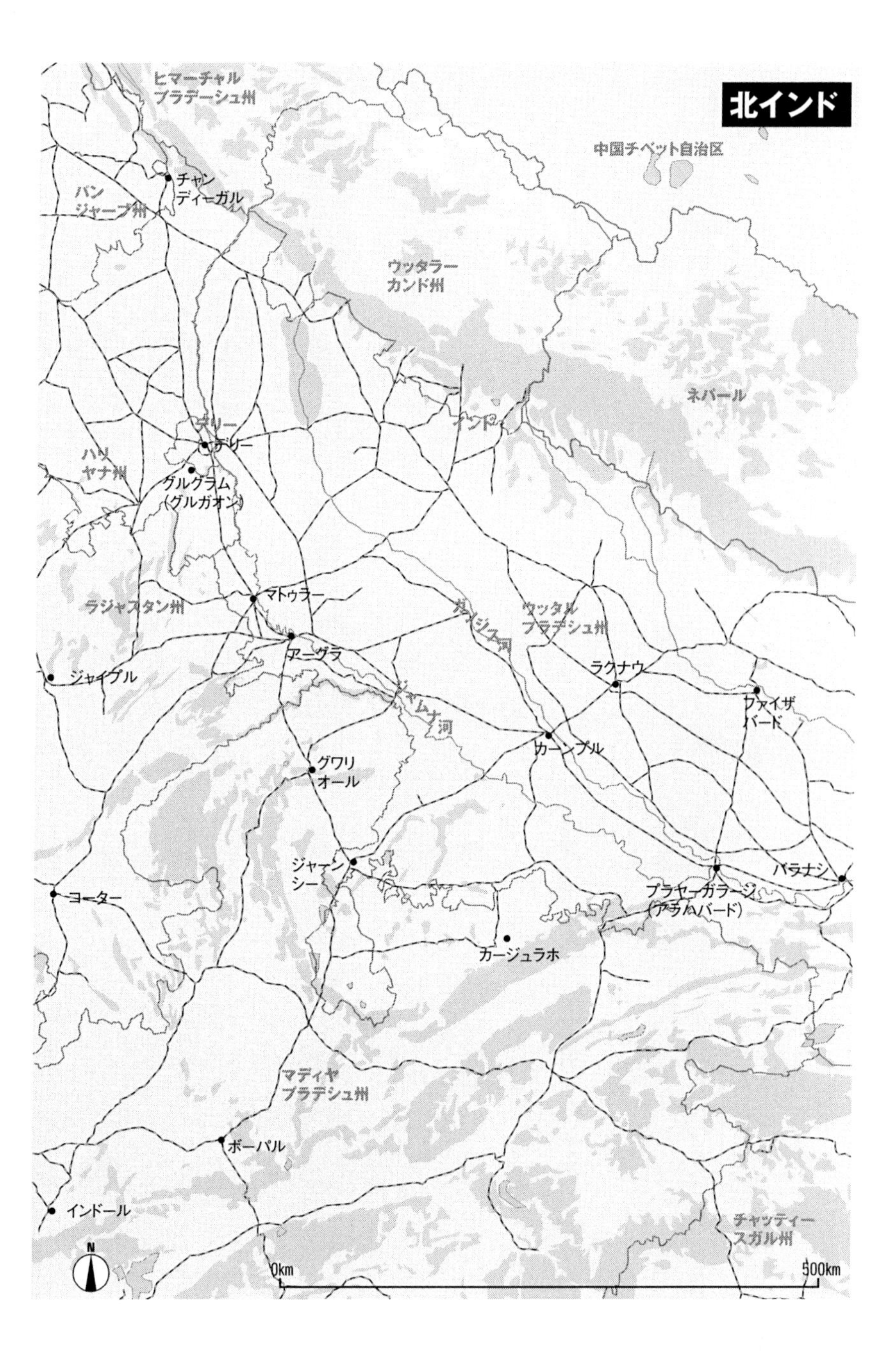
北インド
ヒマーチャル
プラデーシュ州
中国チベット自治区
チャン
ディーガル
パン
ジャーブ州
ウッタラー
カンド州
ネパール
インド
デリー
デリー
ハリ
ヤナ州
グルグラム
(グルガオン)
マトゥラー
ラジャスタン州
ガンジス河
ウッタル
プラデシュ州
アーグラ
ラクナウ
ジャイプル
ファイザ
バード
ジャムナ河
カーンプル
グワリ
オール
ジャーン
シー
バラナシ
コーター
プラヤーガラージ
(アラハバード)
カージュラホ
マディヤ
プラデシュ州
ボーパル
インドール
チャッティー
スガル州
N
0km
500km

Introduction

南アジアの大国インドへ

10億人以上の人口を抱えるインド
大陸にもたとえられる多様な国土
北インドには目覚めた巨象の姿がある

多様な民族、多様な言語

日本の9倍という国土に10億人以上が暮らす大国インド。北方のインド・ヨーロッパ系民族と南方のドラヴィダ系民族はじめ、人種の異なる人々が一堂に暮らす多民族国家となっている。この国には22の公用語があり、「独立の父」ガンジーが描かれたお札には、デーバナーガリー文字、タミル文字、アラビア文字などそれぞれ異なる16の言葉が記されている。このような多様な言語をもとに1956年に言語州が誕生し、北インドではヒンディー語、ウルドゥー語などが話されている。一方で州をまたぐと言葉が通じないため、それらをつなぐための英語(イギリス植民地時代に広まった)が広く通じる。デリーは連邦直轄領、アーグラ、バラナシはウッタル・プラデーシュ州となっている。

超大国の中心

21世紀のなかごろまでには、インドの人口は中国を抜いて世界第一になると見られている。また25歳以下の高い人口比率やコンピュータを使ったITの実務能力などから、「21世紀はインドの時代だ」という言葉が聞かれる。

象に乗って世界遺産に向かう、ジャイプルにて

それを映すようにこの国は毎年、高い経済成長を続け、インド人は世界のビジネス現場で強い力を発揮している。1947年のインド独立で首都となったデリーは、郊外へ拡大を続けていて、デリー近郊のグルグラム(グルガオン)やノイダでは高級マンションやショッピングモールがならんでいる(グルグラムはハリヤナ州、ノイダはウッタル・プラデーシュ州)。高い経済成長率と豊富な人口などから世界でのインドの影響力は増し続けている。

宗教と最高の聖地

長いあいだ日本人には、「お釈迦さまの生まれた天竺」という目でインドは見られてきた。紀元前5世紀ごろ、仏教が生まれたインドでは、ヒンドゥー教をはじめ、ジャイナ教、イスラム教、シク教、ゾロアスター教など多くの宗教が信仰されている(デリーではいくつもの宗教寺院が見られる)。こうした異なる宗教や考えへの寛容さをもつことから、インドは「宗教の国」だと言われる。インド人の80%が信仰するヒンドゥー教は、仏教やキリスト教のように開祖がおらず、インドの自然や民間信仰のなかで宗教体系が育まれ、現在でも変化を続けている。このヒンドゥー教最高の聖地がガンジス河畔に開けたバラナシで、そこでは沐浴する人々、焼かれていく遺体など生と死が交錯する世界が広がる。またブッダが悟りを開いたブッダガヤ(東インド)、はじめて教えを説いたサールナート(バラナシ近郊)などが残る。

白大理石でつくられたタージ・マハル

Delhi

デリー城市案内

**紀元前からインド各地へ通じる「インドの門」と言われ
北インドを支配した諸王朝の都がおかれてきたデリー
繰り返し都が造営されてきた七度の都**

デリー ★★★

Delhi／(ヒ) दिल्ली　(パ) ਦਿੱਲੀ　(ウ) دلی

首都デリーは、インド北西部、ジャムナ河の西側に開けている。近代以前から街があったオールド・デリー、20世紀以後、政治の中心となったニュー・デリー、また現在では南デリーや隣接するハリヤナ州やウッタル・プラデーシュ州の街とともに巨大な首都圏をつくっている。

オールド・デリー ★★☆

Old Delhi／(ヒ) पुरानी दिल्ली　(パ) ਪੁਰਾਣੀ ਦਿੱਲੀ　(ウ) پرانی دلی

ニュー・デリー駅の北東に広がるオールド・デリー（「古いデリー」）。17世紀に建設されたムガル帝国の都シャージャハナーバード跡で、20世紀になってニュー・デリーが建設されるまでデリーの中心だった。ムガル宮廷がおかれたラール・キラから、チャンドニー・チョウクが伸び、

★★★

デリー *Delhi*

★★☆

オールド・デリー *Old Delhi*
ラール・キラ *Lal Qila*
ニュー・デリー *New Delhi*

★☆☆

コンノート・プレイス *Connaught Place*
インド門 *India Gate*
フマユーン廟 *Tomb of Humayun*

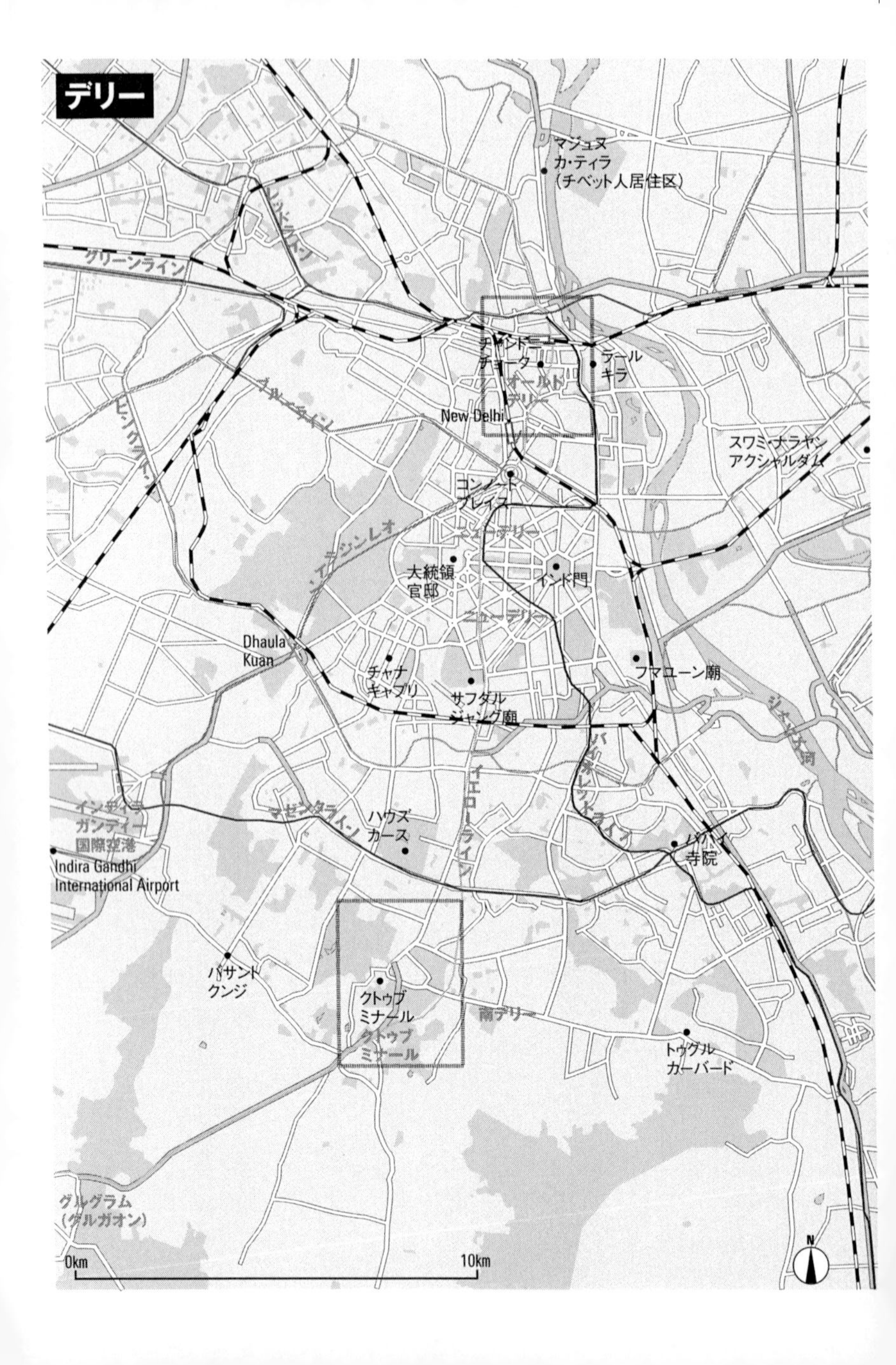

デリー
マジュヌ
カ・ティラ
（チベット人居住区）
グリーンライン
レッドライン
チャンドニー
チョーク
ラール
キラ
オールド
デリー
New Delhi
ピンクライン
ブルーライン
スワミ・ナラヤン
アクシャルダム
コンノート
プレイス
エアポートエクスプレス
ニューデリー
大統領
官邸
インド門
Dhaula
Kuan
チャナキャプリ
フマユーン廟
サフダルジャング廟
バイオレットライン
ヤムナー河
イエローライン
インディラ・ガンディー国際空港
Indira Gandhi
International Airport
マゼンタライン
ハウズ
カース
バハイ
寺院
バサント
クンジ
クトゥブ
ミナール
クトゥブ
ミナール
南デリー
トゥグル
カーバード
グルグラム
（グルガオン）
0km
10km
N

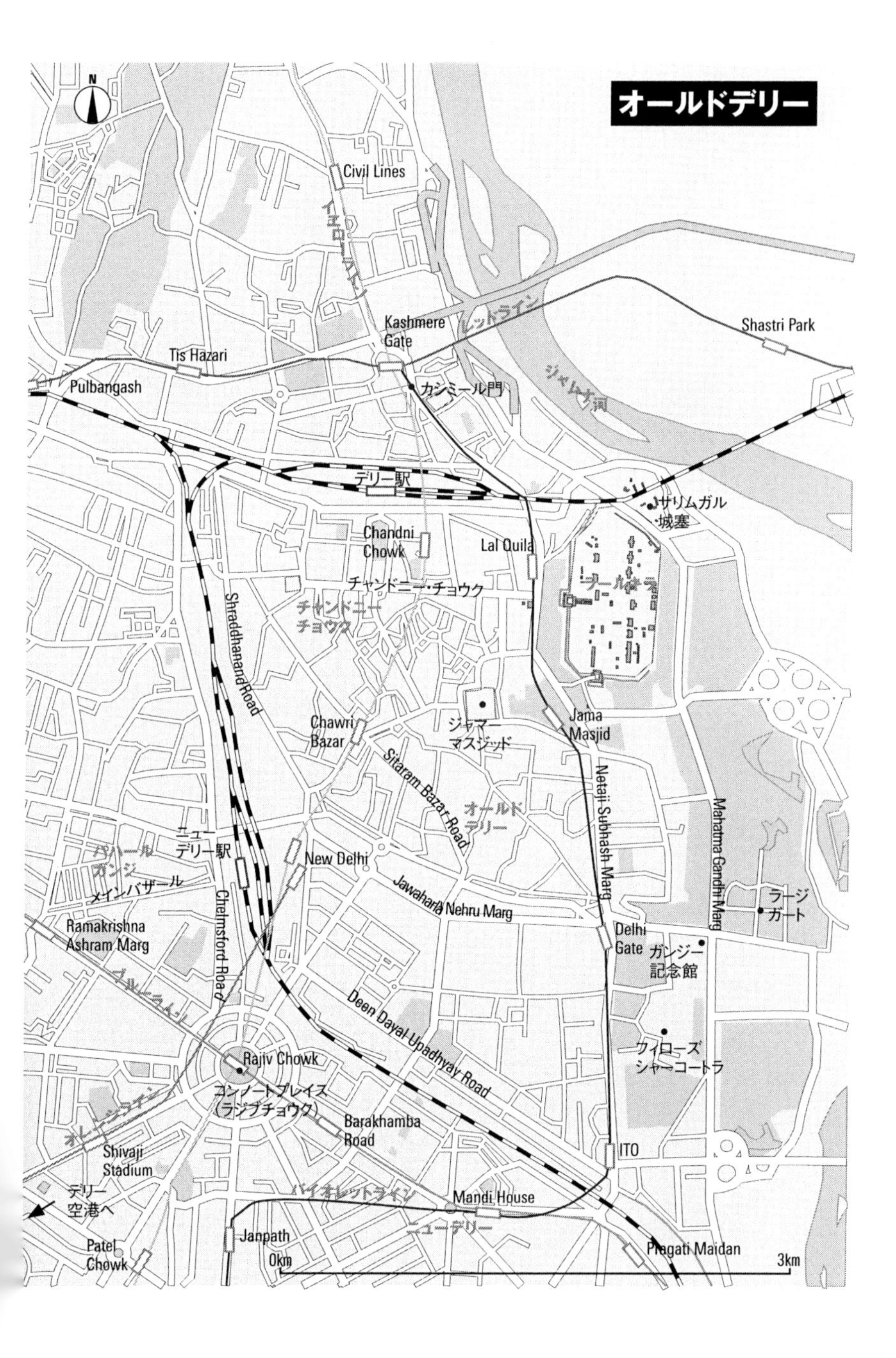
オールドデリー
N
Civil Lines
Kashmere Gate
Shastri Park
Tis Hazari
Pulbangash
カシミール門
デリー駅
サリムガル城塞
Chandni Chowk
Lal Quila
チャンドニー・チョウク
チャンドニーチョウク
Shraddhanand Road
Chawri Bazar
ジャマーマスジッド
Jama Masjid
Netaji Subhash Marg
Sitaram Bazar Road
オールドデリー
Mahatma Gandhi Marg
ニューデリー駅
パハールガンジ
メインバザール
New Delhi
Jawaharlal Nehru Marg
ラージガート
Ramakrishna Ashram Marg
Chelmsford Road
Delhi Gate
ガンジー記念館
Deen Dayal Upadhyay Road
フィローズシャーコートラ
Rajiv Chowk
コンノートプレイス（ラジブチョウク）
Barakhamba Road
Shivaji Stadium
ITO
デリー空港へ
Mandi House
ニューデリー
Janpath
Patel Chowk
Pragati Maidan
0km
3km

インド政治の舞台になってきたラール・キラ

人、物資、リキシャが行き交うオールド・デリー

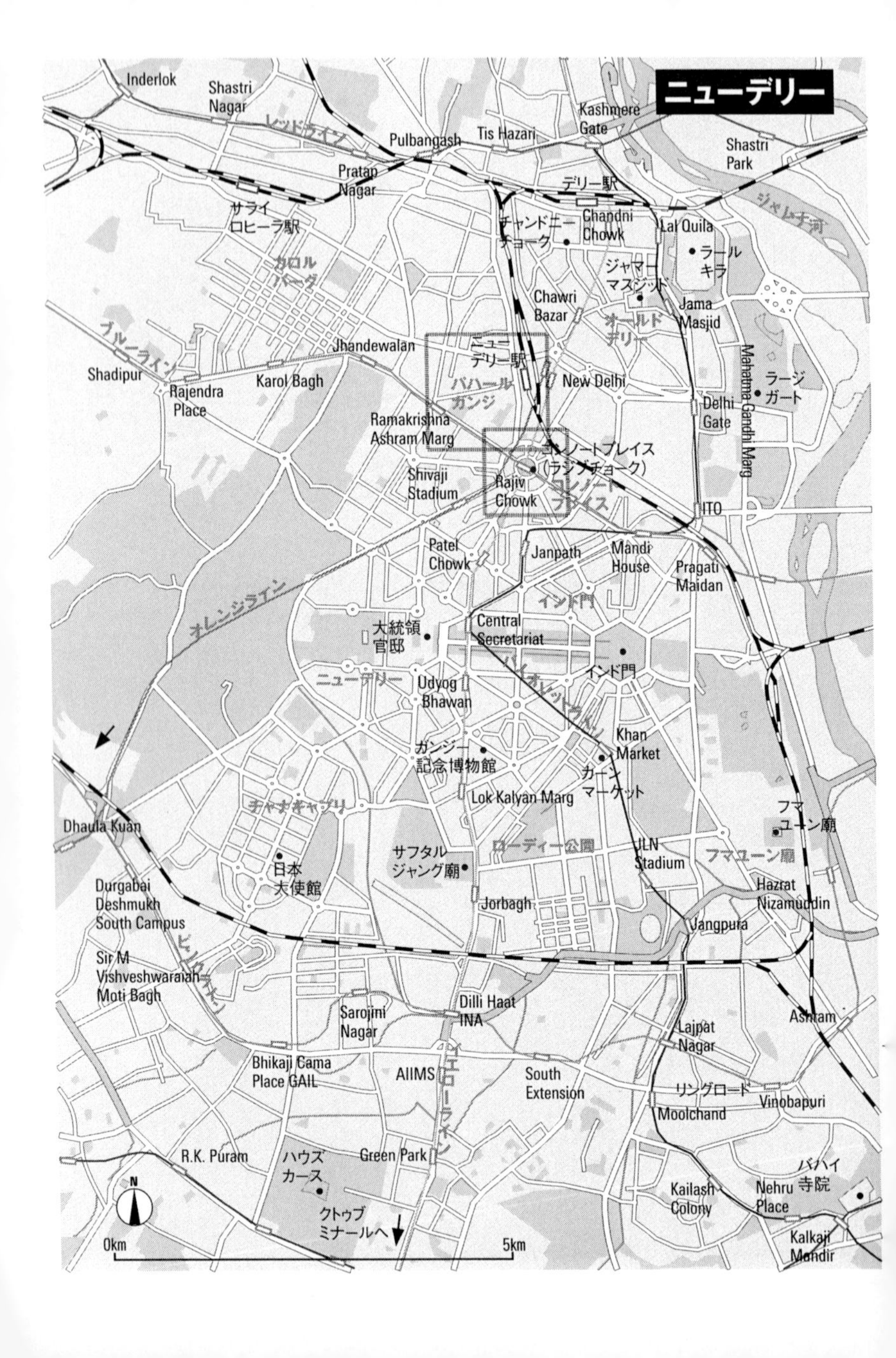
ニューデリー
Inderlok
Shastri Nagar
レッドライン
Pulbangash
Tis Hazari
Kashmere Gate
Shastri Park
Pratap Nagar
デリー駅
サライロヒーラ駅
チャンドニーチョーク
Chandni Chowk
Lal Quila
ラールキラ
ジャムナ河
カロルバーグ
ジャマーマスジッド
Jama Masjid
Chawri Bazar
オールドデリー
ブルーライン
Jhandewalan
ニューデリー駅
Shadipur
Karol Bagh
New Delhi
ラージガート
Mahatma Gandhi Marg
Rajendra Place
パハールガンジ
Delhi Gate
Ramakrishna Ashram Marg
コノートプレイス(ラジブチョーク)
Shivaji Stadium
Rajiv Chowk
コノートプレイス
ITO
Patel Chowk
Janpath
Mandi House
Pragati Maidan
オレンジライン
インド門
Central Secretariat
大統領官邸
インド門
ニューデリー
Udyog Bhawan
バイオレットライン
ガンジー記念博物館
Khan Market
カーンマーケット
Lok Kalyan Marg
チャナキャプリ
Dhaula Kuan
フマユーン廟
サフタルジャング廟
ローディー公園
JLN Stadium
フマユーン廟
日本大使館
Hazrat Nizamuddin
Durgabai Deshmukh South Campus
Jorbagh
Jangpura
ピンクライン
Sir M Vishveshwaraiah Moti Bagh
Dilli Haat INA
Sarojini Nagar
Ashram
Lajpat Nagar
Bhikaji Cama Place GAIL
AIIMS
イエローライン
South Extension
リングロード
Vinobapuri
Moolchand
R.K. Puram
ハウズカース
Green Park
バハイ寺院
Kailash Colony
Nehru Place
クトゥブミナールへ
N
0km
5km
Kalkaji Mandir

そこからバザールが網の目のように走る。丘のうえにインドでも最大規模のジャマー・マスジッドが立ち、行き交うリキシャ、積みあげられた香辛料からは昔ながらのデリーを感じることができる。

ラール・キラ ★★☆

Lal Qila／(ヒ)लाल किला／(パ)ਲਾਲ ਕਿਲ੍ਹਾ／(ウ)لال قلعہ

ラール・キラには、1648年からムガル帝国が滅亡する1858年までムガル宮廷がおかれていた。ラール・キラとは「赤い城」という意味で、イギリス統治時代、英語でレッド・フォート（赤い城）と呼ばれていた。1947年の新生インドの建国時にはこの城のラホール門からガンジーやネルーが国民に語りかけ、現在も建国式典が行なわれるインド政治の象徴的な場所となっている。隣接するサリムガル要塞とともに世界遺産に指定されている。

ニュー・デリー ★★☆

New Delhi／(ヒ)नई दिल्ली／(パ)ਨਵੀਂ ਦਿੱਲੀ　(ウ)نئی دلی

ニュー・デリーは近代、インドを植民地下においたイギリスによって造営された計画都市で、オールド・デリーの南側に新たに造営されたことからこの名前で呼ばれている。大統領官邸やインド門、円形ロータリーのコンノート・プレイスが位置し、緑地が充分にとられている。

★★★

デリー *Delhi*

★★☆

オールド・デリー *Old Delhi*
ラール・キラ *Lal Qila*
ニュー・デリー *New Delhi*

★☆☆

コンノート・プレイス *Connaught Place*
インド門 *India Gate*
フマユーン廟 *Tomb of Humayun*

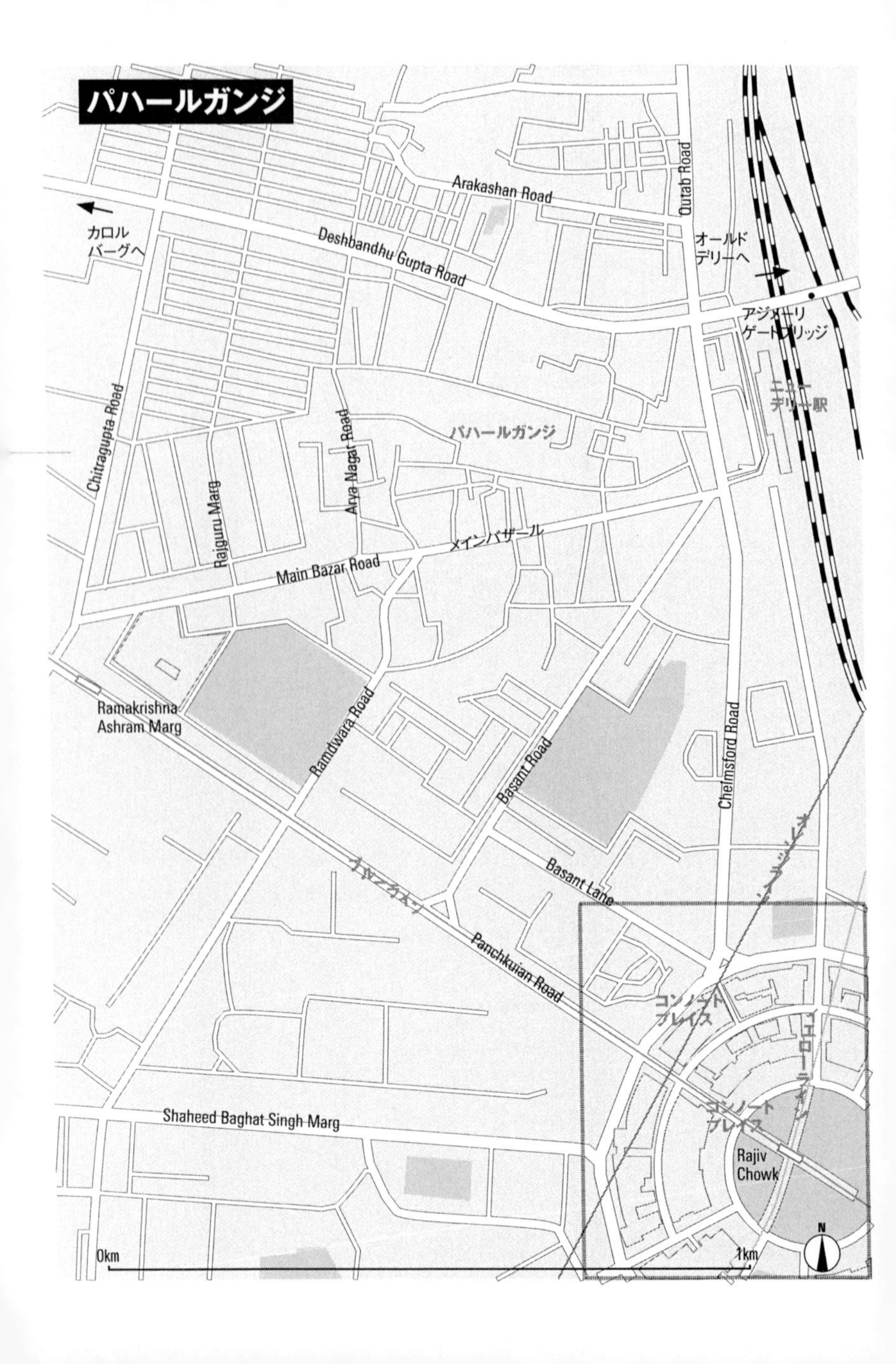
パハールガンジ
Arakashan Road
Qutab Road
カロル
バーグへ
Deshbandhu Gupta Road
オールド
デリーへ
アジメーリ
ゲートブリッジ
Chitragupta Road
Rajguru Marg
Arya Nagar Road
パハールガンジ
メインバザール
Main Bazar Road
Ramakrishna
Ashram Marg
Ramdwara Road
Basant Road
Chelmsford Road
Basant Lane
Panchkuian Road
コンノート
プレイス
Shaheed Baghat Singh Marg
Rajiv
Chowk
N
0km
1km

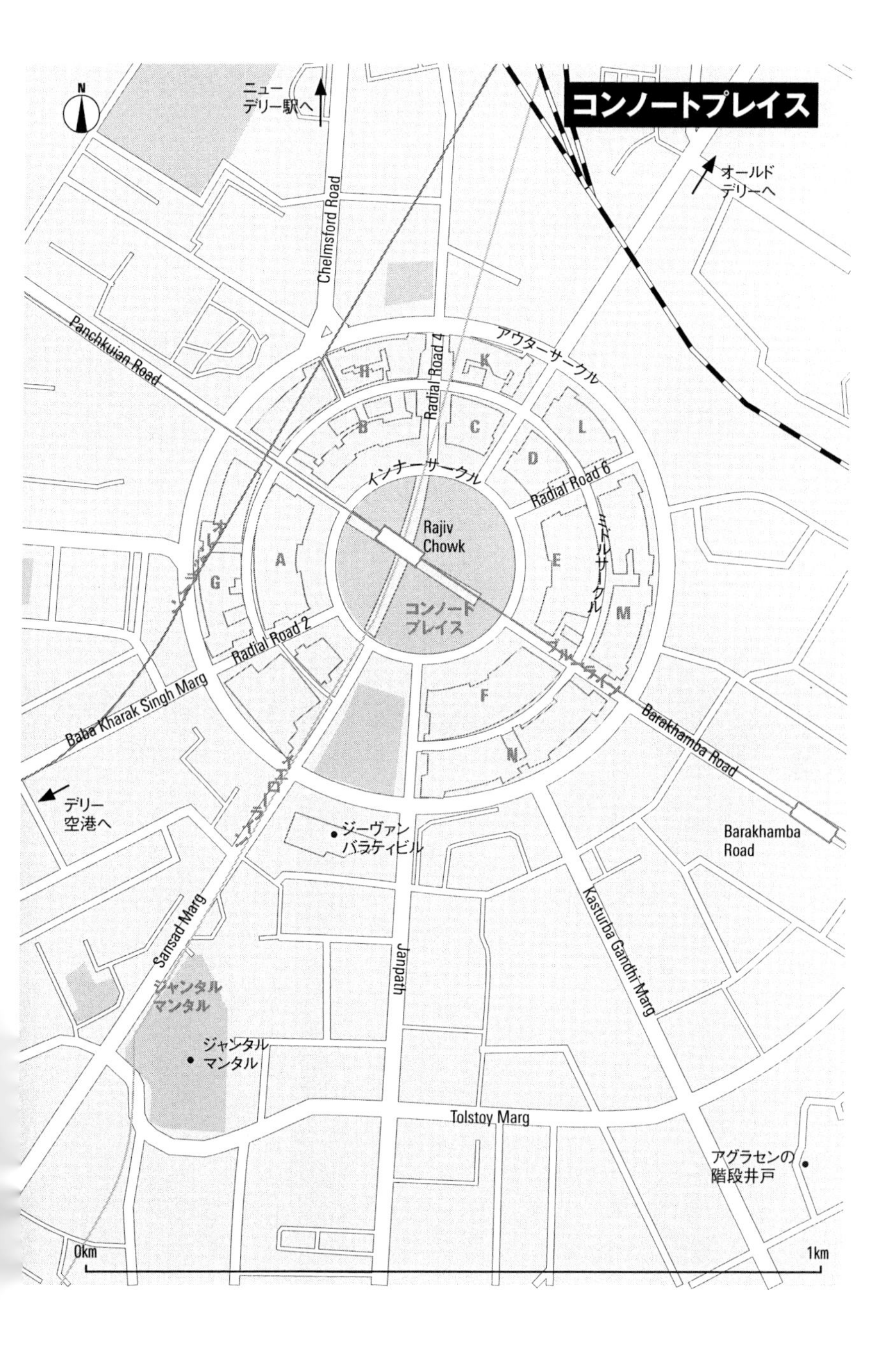

コンノートプレイス
ニュー
デリー駅へ
オールド
デリーへ
Chelmsford Road
Panchkuian Road
アウターサークル
インナーサークル
ミドルサークル
Radial Road 4
Radial Road 6
Radial Road 2
Rajiv
Chowk
コンノート
プレイス
A
B
C
D
E
F
G
H
K
L
M
N
Baba Kharak Singh Marg
Barakhamba Road
デリー
空港へ
ジーヴァン
バラティビル
Barakhamba
Road
Kasturba Gandhi Marg
Janpath
Sansad Marg
ジャンタル
マンタル
ジャンタル
マンタル
Tolstoy Marg
アグラセンの
階段井戸
0km
1km

ムガル皇帝が眠るフマユーン廟

高さ73mのクトゥブ・ミナール

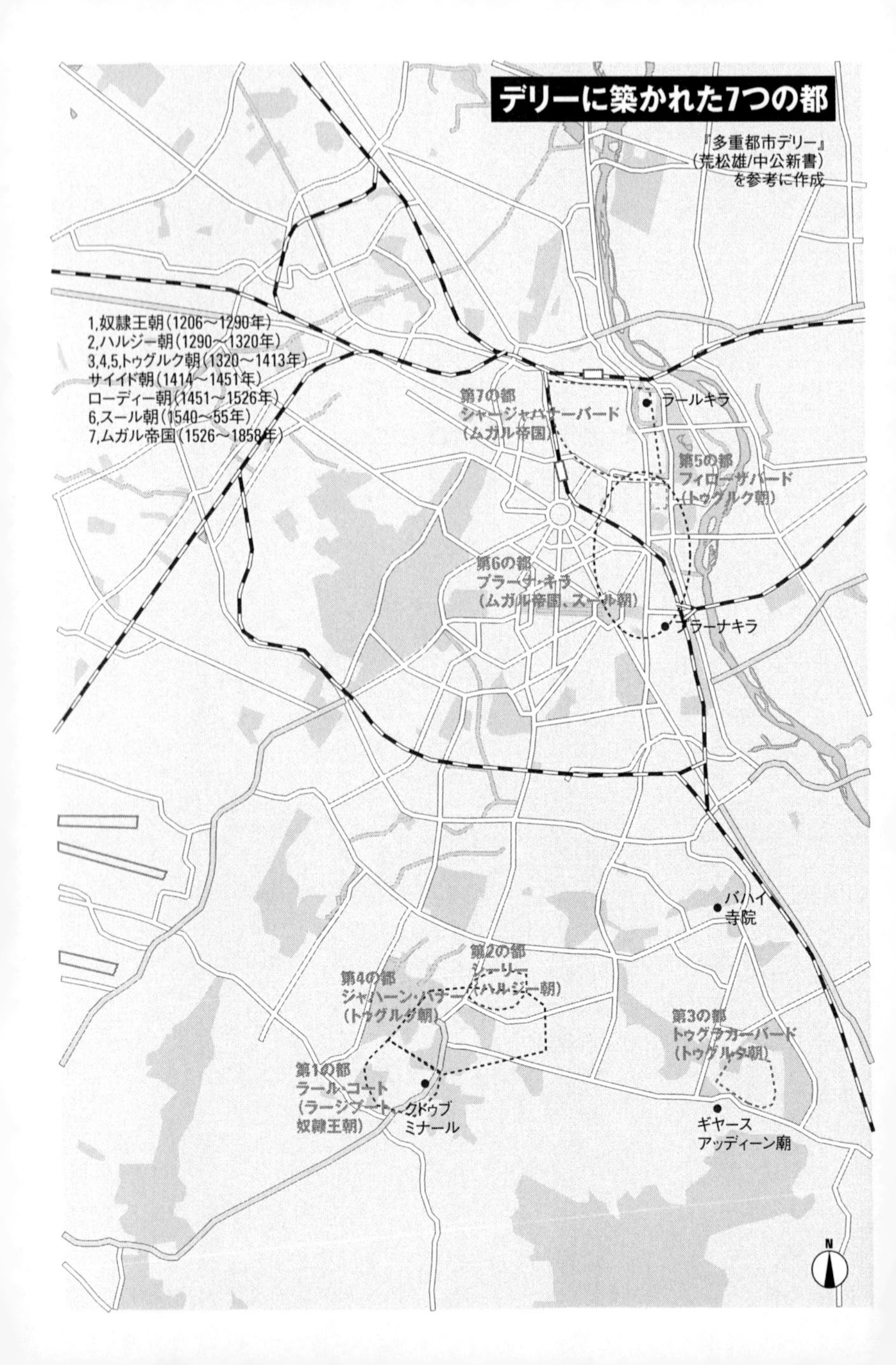
デリーに築かれた7つの都
『多重都市デリー』
(荒松雄/中公新書)
を参考に作成
1,奴隷王朝(1206～1290年)
2,ハルジー朝(1290～1320年)
3,4,5,トゥグルク朝(1320～1413年)
サイイド朝(1414～1451年)
ローディー朝(1451～1526年)
6,スール朝(1540～55年)
7,ムガル帝国(1526～1858年)
第7の都
シャージャハナーバード
(ムガル帝国)
ラールキラ
第5の都
フィローザバード
(トゥグルク朝)
第6の都
プラーナ・キラ
(ムガル帝国、スール朝)
プラーナキラ
バハイ
寺院
第2の都
シーリー
(ハルジー朝)
第4の都
ジャハーン・パナー
(トゥグルク朝)
第3の都
トゥグラカーバード
(トゥグルク朝)
第1の都
ラール・コート
(ラージプート・
奴隷王朝)
クドゥブ
ミナール
ギヤース
アッディーン廟
N

コンノート・プレイス ★☆☆

Connaught Place　Ⓗ कनॉट प्लेस／Ⓟ ਕਨਾਟ ਪਲੇਸ／Ⓤ کناٹ پلیس

　コンノート・プレイスはニュー・デリーの起点になり、店舗がならぶ商業地区。円形の道路が三重に走り、「ハート・オブ・デリー（デリーの中心）」とも呼ばれる。

インド門 ★☆☆

India Gate／Ⓗ इण्डिया गेट　Ⓟ ਇੰਡੀਆ ਗੇਟ　Ⓤ باب ہند

　ニュー・デリー中心部にそびえる高さ42mのインド門。第一次世界大戦で生命を落とした人々を追悼するため、1931年に建てられた。

フマユーン廟 ★☆☆

Tomb of Humayun／Ⓗ हुमायूँ का मकबरा　Ⓟ ਹੁਮਾਯੂੰ ਦੀ ਕਬਰ／Ⓤ مقبرہ ہمایوں

　フマユーン廟は、ムガル帝国第2代フマユーン帝の霊廟で、デリーでもっとも美しい建築にあげられる。ドーム、ミナレット、チャハールバーグ（4分割庭園）などからなるインド・イスラム様式をもち、この霊廟のプランがタージ・マハルに受け継がれることになった（ムガル帝国の統治者はイスラム教徒だった）。世界遺産に指定されている。

クトゥブ・ミナール ★★☆

Qutb Minar／Ⓗ कुतुब मीनार　Ⓟ ਕੁਤਬ ਮੀਨਾਰ　Ⓤ قطب مینار

　南デリーに立つクトゥブ・ミナールは、イスラム王朝による戦勝記念塔。12世紀、ヒンドゥー教徒の暮らすデリーをイスラム教徒が征服したときに建てられた。73mの高さをもち、オールド・デリー以前の都はこのあたりにあった。

★★★
デリー *Delhi*

★★☆
クトゥブ・ミナール *Qutb Minar*

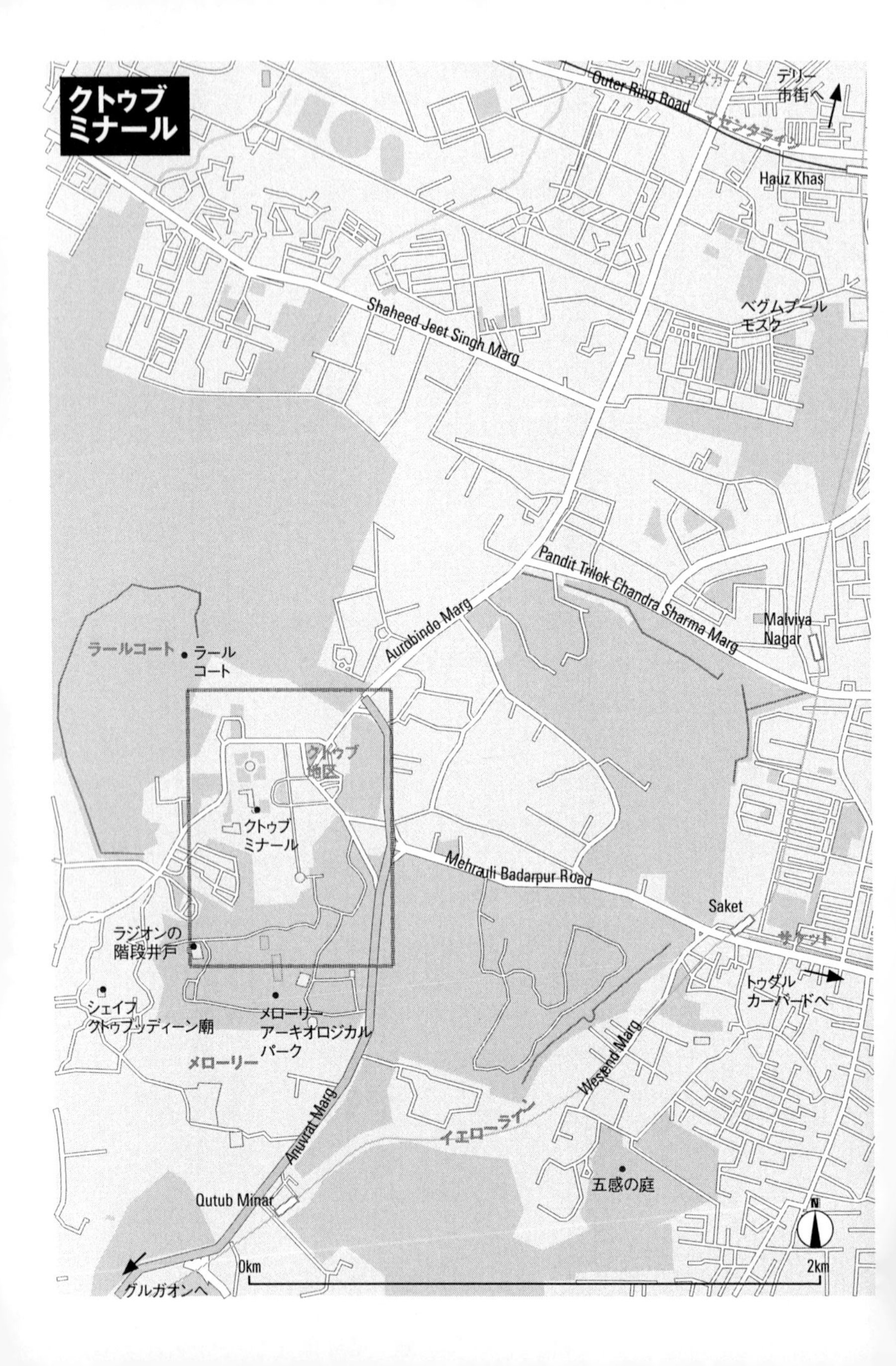

クトゥブ
ミナール
Outer Ring Road
ハウズカース
デリー
市街へ
マゼンタライン
Hauz Khas
Shaheed Jeet Singh Marg
ベグムプール
モスク
Pandit Trilok Chandra Sharma Marg
Aurobindo Marg
Malviya
Nagar
ラールコート
ラール
コート
クトゥブ
地区
クトゥブ
ミナール
Mehrauli Badarpur Road
Saket
サケット
ラジオンの
階段井戸
トゥグル
カーバードへ
シェイフ
クトゥブッディーン廟
メローリー
アーキオロジカル
パーク
メローリー
Westend Marg
イエローライン
Anuvrat Marg
五感の庭
Qutub Minar
N
0km
2km
グルガオンへ

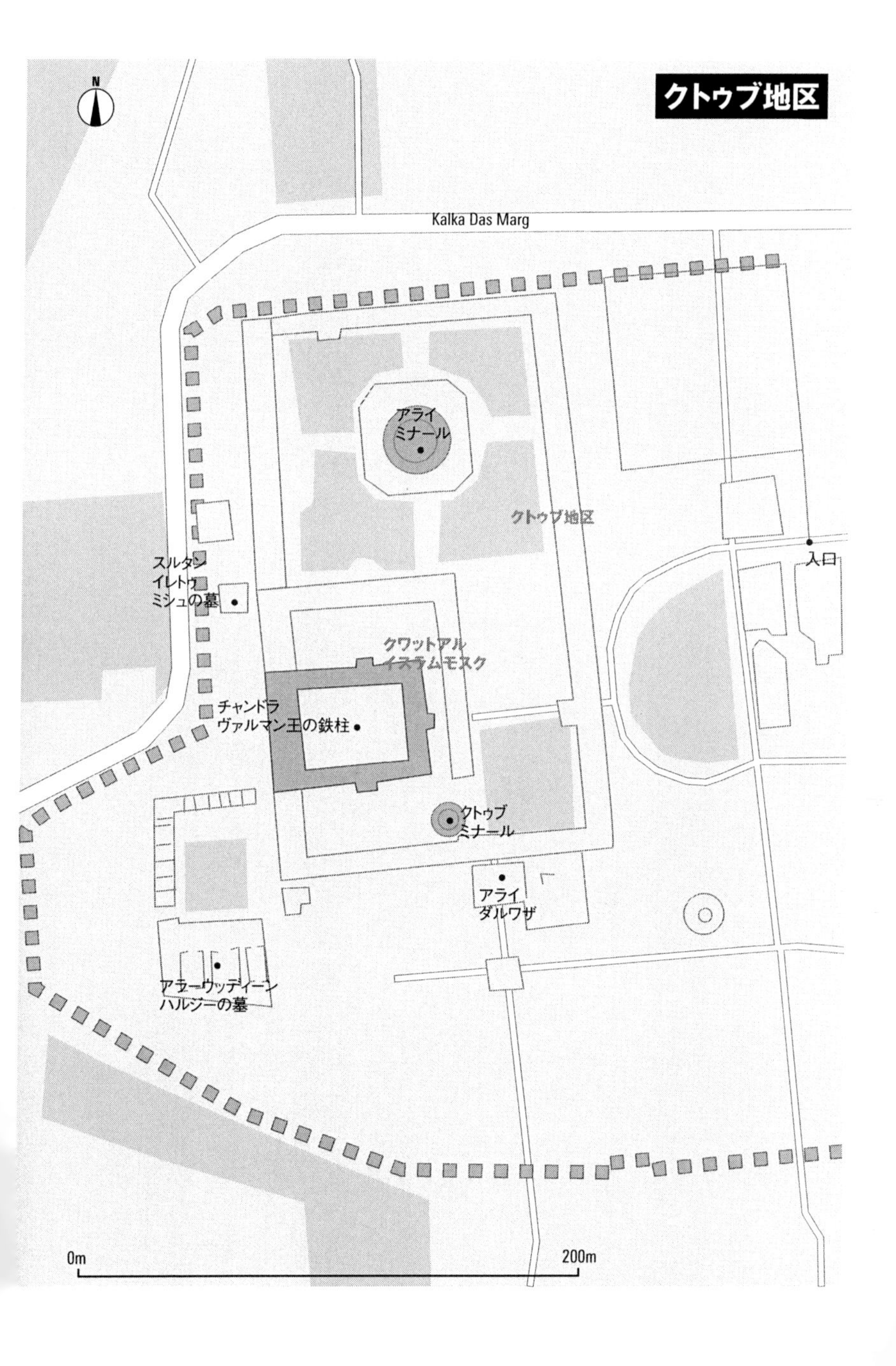
クトゥブ地区
N
Kalka Das Marg
アライ
ミナール
クトゥブ地区
入口
スルタン
イレトゥ
ミシュの墓
クワットアル
イスラムモスク
チャンドラ
ヴァルマン王の鉄柱
クトゥブ
ミナール
アライ
ダルワザ
アラーウッディーン
ハルジーの墓
0m
200m

103

Makafushigi

摩訶不思議、印度世界

IT大国、インド式数学、カレーの国など
さまざまな視点で語られるインド
3000年の歴史のなかで育まれてきた多様な文化

「0の発見」

インドの偉大な発見と言われる「0の発見」。いつごろ0が発見されたかははっきりとはわかっていないが、6世紀ごろにはインドで「位とり」が行なわれていたと考えられている。たとえば漢数字(ローマ文字でも)では、一、十、百、千、万と単位が増えるため、「二千八十六－(ひく)千五百二」と表記するとわかりづらいが、「2086－(ひく)1502」と表記するとすぐに解が出せる。このインド式記数法では10個の数字だけであらゆる自然数をあらわせ、「0の発見」なしに現代文明の発展はなかったと言われる。また年齢の数え方には生まれた年を1歳とする「数え(生まれた年を1歳とし、0年がない西暦と同じ数え方)」と「0をおく一般的な数え方」があるが、インドでは年齢に限らず、「0」をおく数え方が多く採用されているという。なおインド数字は、イスラム世界を通じて西欧に伝わったため、アラビア数字と呼ばれている。

カーストとは

インド社会に根ざした身分制度カーストは、大航海時代の15世紀にインドを訪れたポルトガル人が「血」を意味するカスタの名で呼んで以来、この呼称が広がるようになった。実際、インドにおける社会集団は、「4つの種姓」ヴァルナ（司祭階級バラモン、王侯武士階級クシャトリヤ、庶民階級バイシャ、隷属民シュードラ）と「生まれ」を意味するジャーティ（職業）によって秩序づけられている（カーストとはこのヴァルナとジャーティを混同したもの）。インド社会では「浄」「不浄」の観念が発達していることから、異なるカーストとの結婚やともに食事をとることが制限され、現在、その影響は弱まっているものの農村を中心にカーストによる秩序が根づよく残っているという。

カレーの本場

「カレーの本場」のインドでは、20ものスパイス（香辛料）を選んですりつぶし、食材にもっとも適した調理法で料理が味つけされる（インドのバザールには山ほどの香辛料がならんでいる、またカレーという言葉はもともと南インドで「スープの具」を意味するのだという）。気温が高く、湿気の多いインドにあっては、香辛料を混ぜあわせて調理する方法は食欲、殺菌効果などの面から都合がよい。このカレーにはサフランやうこんといった香辛料が黄色の成分を出していることから、一見すると同じ料理を食べているように思えるが、料理名が同じでも家庭や地方によって調理法が異なる奥の深いものだという。カレーという言葉はポルトガル語から英語に入り、インド総督のヘイスティングスが1772年にインドからカレーをもち帰り、それが日本に伝わったとされる（カレー粉はイギリスの発明）。

インドと言えばカレー、本場の味

インドではリキシャが足代わりになる

Jaipur

ジャイプル城市案内

**砂漠の国ラジャスタンの州都ジャイプル
デリー、アーグラとともに
ゴールデン・トライアングルを構成する観光都市**

ジャイプル ★★★

Jaipur ㊦जयपुर

ジャイプルは長らくこの地方の王様マハラジャによっておさめられてきた街で、旧市街の建物がピンク色で彩られていることから、「ピンク・シティ」の愛称でも親しまれている。豪勢なマハラジャの宮殿、豊かなひげをたくわえたターバン姿の男性、また象や蛇を操る人々など『千夜一夜物語』に登場するような世界が広がっている。

ジャンタル・マンタル ★★☆

Jantar Mantar ㊦जंतर मंतर

1734年、マハラジャ・ジャイ・シン2世によってつくられた天文観測所ジャンタル・マンタル。階段状や円形の大きな観測器がならぶ様子は不思議な遊園地を思わせる。世界文化遺産。

シティ・パレス ★☆☆

City Palace ㊦सिटी पैलेस

シティ・パレスは、ジャイプルのマハラジャとその一族が暮らした宮殿跡。マハラジャがガンジス河の水をなかに入れて海外にもっていったという巨大な壺、宮殿を守る門番、イスラムとヒンドゥー文化を融合させたラジャ

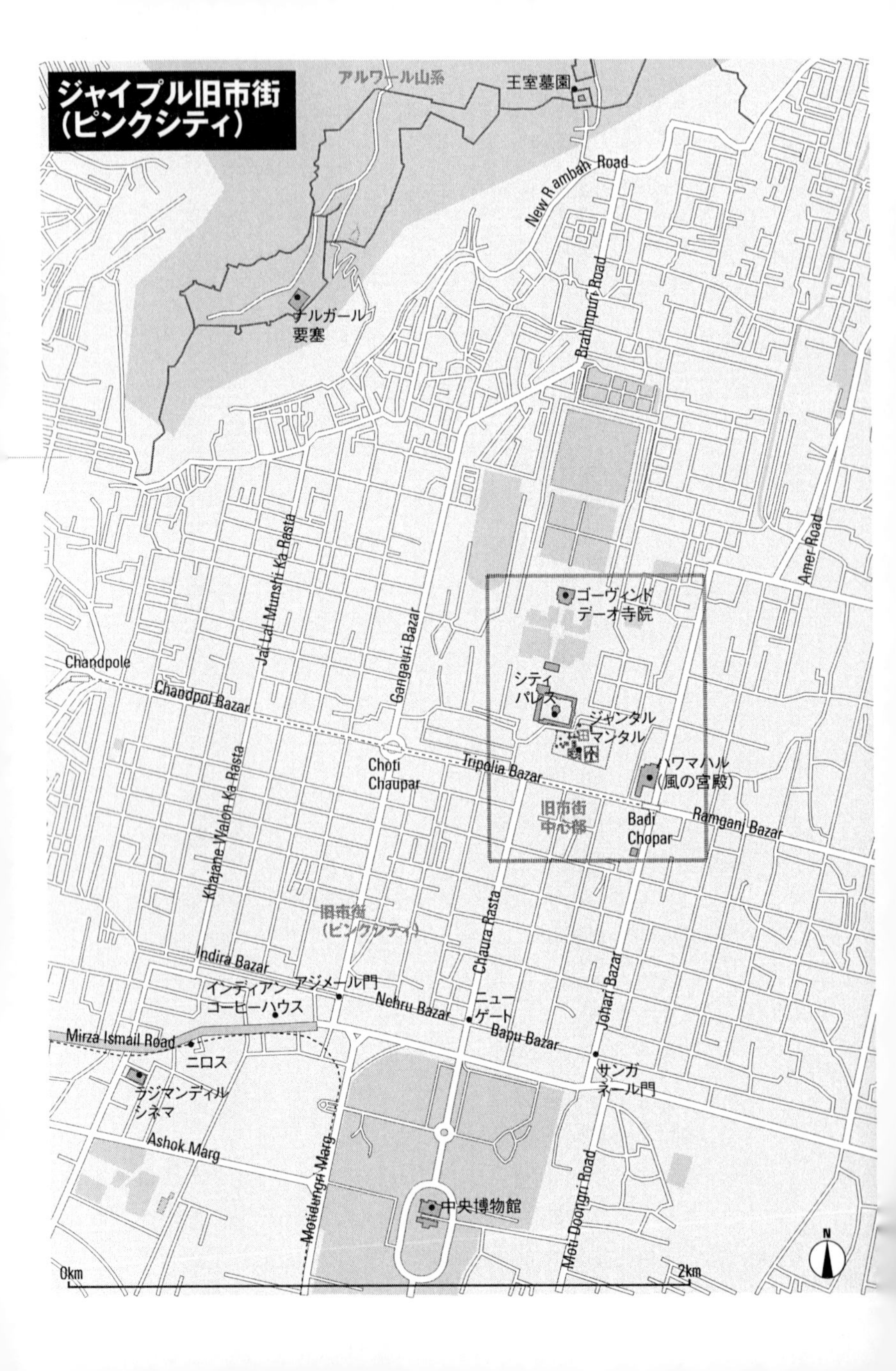
ジャイプル旧市街
(ピンクシティ)
アルワール山系
王室墓園
New Rambah Road
ナルガール
要塞
Brahmpuri Road
Amer Road
ゴーヴィンド
デーオ寺院
Jai Lal Munshi Ka Rasta
Gangauri Bazar
Chandpole
Chandpol Bazar
シティ
パレス
ジャンタル
マンタル
Khajane Walon Ka Rasta
Choti
Chaupar
Tripolia Bazar
ハワマハル
(風の宮殿)
旧市街
中心部
Badi
Chopar
Ramganj Bazar
旧市街
(ピンクシティ)
Chaura Rasta
Indira Bazar
インディアン
コーヒーハウス
アジメール門
Nehru Bazar
ニュー
ゲート
Johari Bazar
Bapu Bazar
Mirza Ismail Road
ニロス
サンガ
ネール門
ラジマンディル
シネマ
Ashok Marg
Motidungri Marg
Moti Doongri Road
中央博物館
N
0km
2km

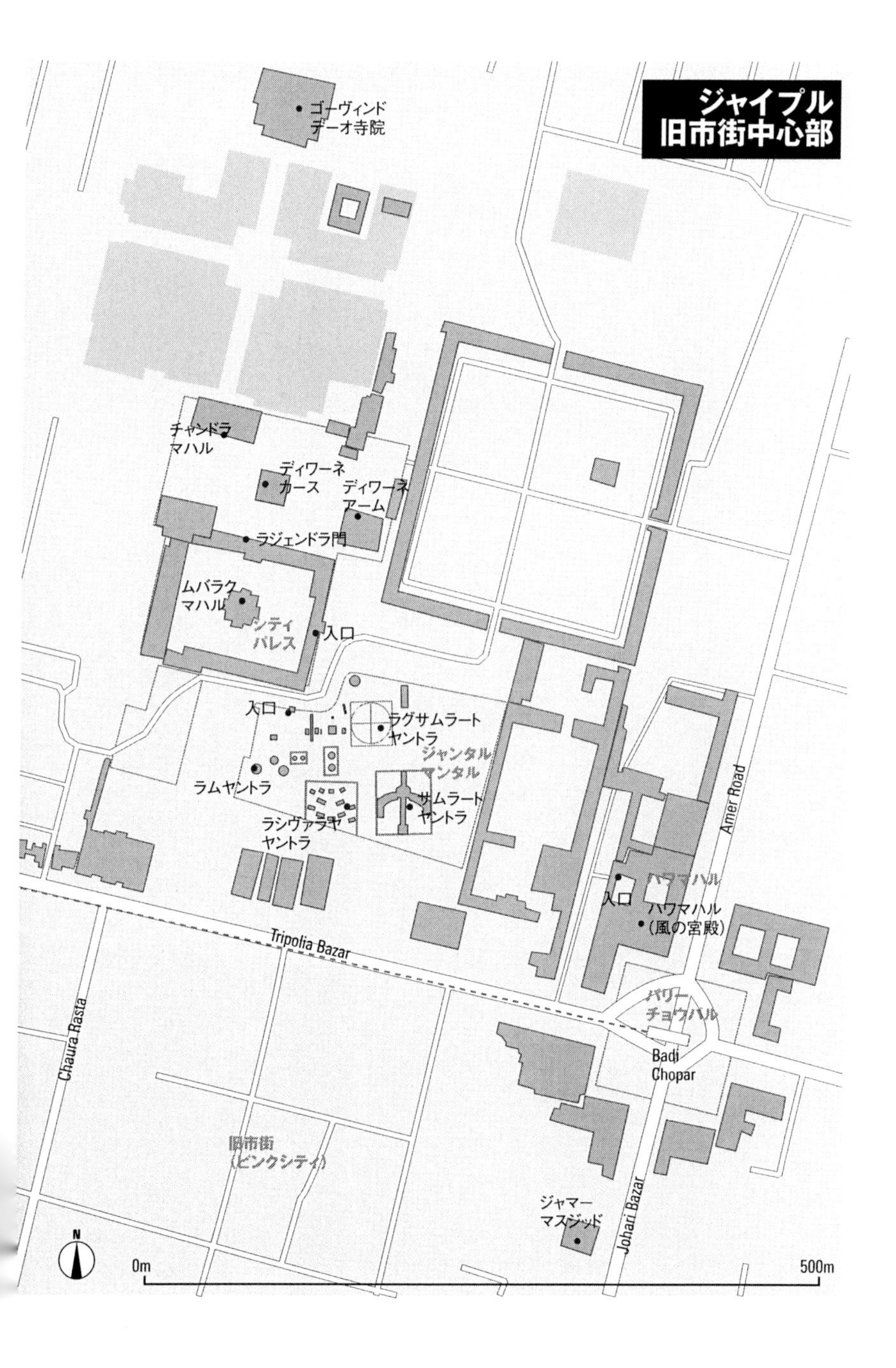

ジャイプル
旧市街中心部
ゴーヴィンド
デーオ寺院
チャンドラ
マハル
ディワーネ
カース
ディワーネ
アーム
ラジェンドラ門
ムバラク
マハル
シティ
パレス
入口
入口
ラグサムラート
ヤントラ
ジャンタル
マンタル
ラムヤントラ
サムラート
ヤントラ
ラシヴァラヤ
ヤントラ
ハワマハル
入口
ハワマハル
(風の宮殿)
Amer Road
Tripolia Bazar
バリー
チョウパル
Badi
Chopar
Chaura Rasta
旧市街
(ピンクシティ)
ジャマー
マスジッド
Johari Bazar
N
0m
500m

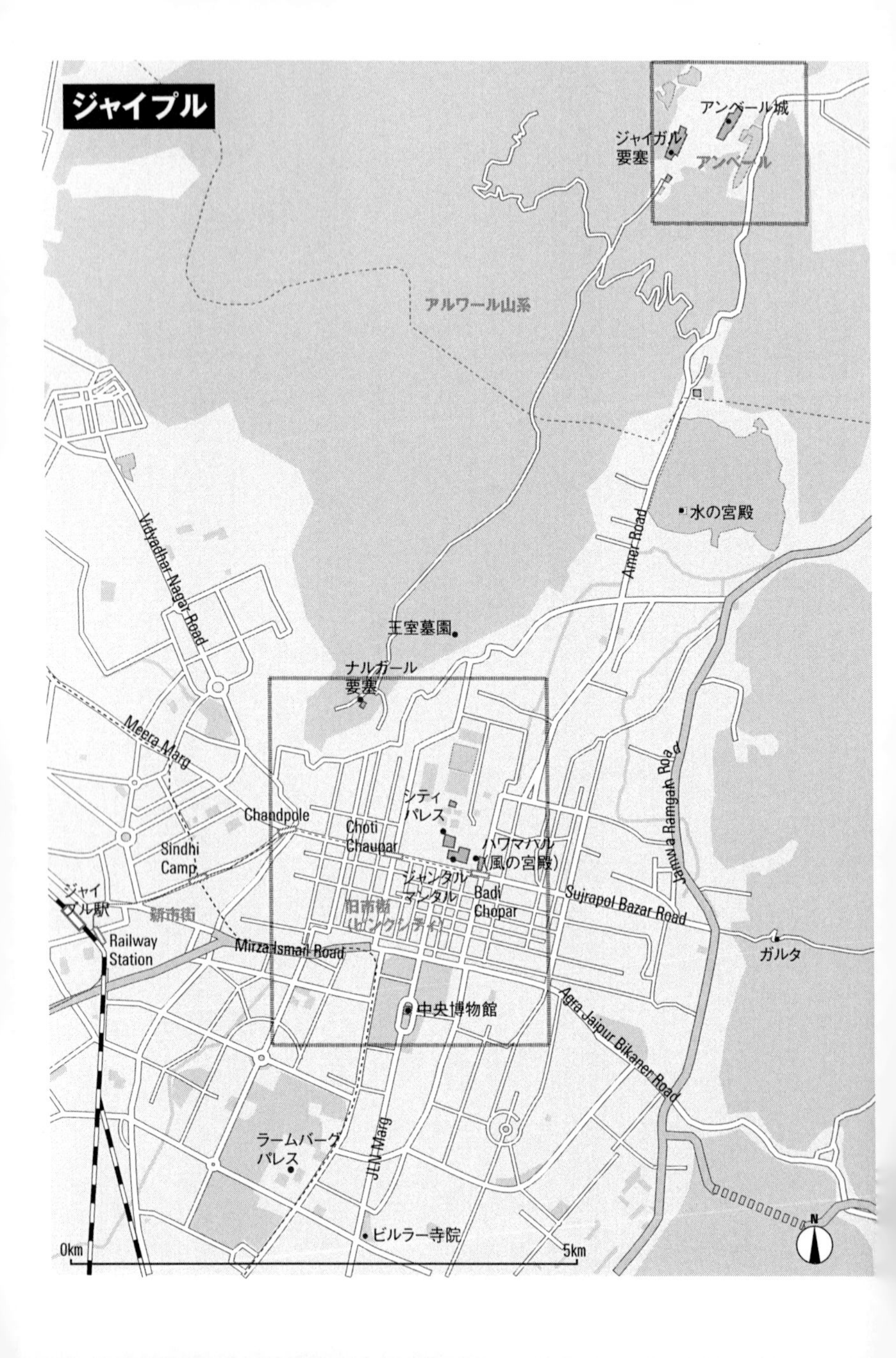
ジャイプル
アンベール城
ジャイガル
要塞
アンベール
アルワール山系
水の宮殿
Amer Road
Vidyadhar Nagar Road
王室墓園
ナルガール
要塞
Meera Marg
Chandpole
シティ
パレス
Choti
Chaupar
ハワマハル
(風の宮殿)
Sindhi
Camp
ジャンタル
マンタル
Badi
Chopar
Sujrapol Bazar Road
Jamwa Ramgarh Road
ジャイ
プル駅
新市街
旧市街
(ピンクシティ)
Railway
Station
Mirza Ismail Road
ガルタ
中央博物館
Agra Jaipur Bikaner Road
ラームバーグ
パレス
JLN Marg
ビルラー寺院
0km
5km
N

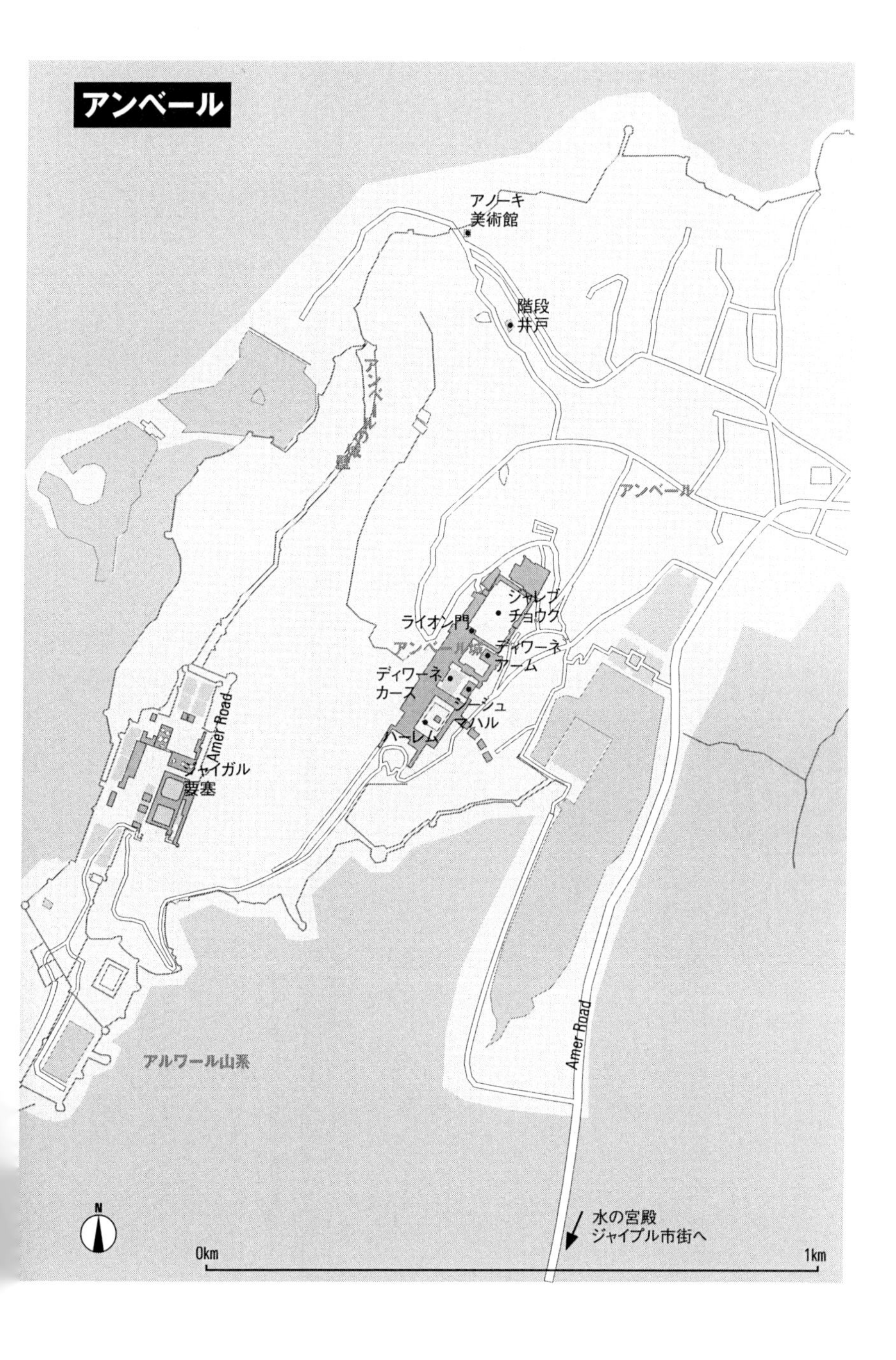

アンベール
アノーキ
美術館
階段
井戸
アンベール
ジャレブ
チョウク
ライオン門
アンベール城
ディワーネ
アーム
ディワーネ
カース
シーシュ
マハル
ハーレム
Amer Road
ジャイガル
要塞
アルワール山系
Amer Road
N
水の宮殿
ジャイプル市街へ
0km
1km

スタン様式の建築などが見られる。

風の宮殿(ハワ・マハル) ★★☆

Hawa Mahal ㊩हवा महल

美しいピンク色の装飾に彩られた外観をもつ風の宮殿。1799年、ジャイプルのマハラジャによって建てられ、この宮殿の窓から王女たちが外の世界を眺めたと伝えられる。

アンベール城 ★★☆

Amber Fort/㊩आमेर दुर्ग

ジャイプル北11km郊外の丘陵に立つアンベール城。現在のジャイプルの街がつくられる18世紀以前の王家の宮殿がおかれていた場所で、その後も離宮として使われていた。世界遺産に指定されているラジャスタンの丘陵城砦群(6つある)のひとつ。

★★★

ジャイプル *Jaipur*

★★☆

ジャンタル・マンタル *Jantar Mantar*
風の宮殿(ハワ・マハル) *Hawa Mahal*
アンベール城 *Amber Fort*

★☆☆

シティ・パレス *City Palace*

マハラジャの宮殿シティ・パレス

不思議なかたちをした観測機がならぶジャンタル・マンタル

Agra

アーグラ城市案内

デリーからジャムナ河をくだったところに位置する
古都アーグラ
タージ・マハルが美しい姿を見せている

アーグラ ★★★

Agra／Ⓗआगरा　Ⓤآگرہ

アーグラはデリーに遷都される以前の16〜17世紀にムガル帝国の都がおかれていた街で、タージ・マハル、アーグラ城が残っている。これらの世界遺産を目的に、インドはじめ世界中から多くの人々がアーグラを訪れている。

タージ・マハル ★★★

Taj Mahal／Ⓗताज महल　Ⓤتاج محل

ジャムナ河畔に立つ白亜の建築タージ・マハル。17世紀、ムガル帝国第五代シャー・ジャハーン帝が愛する皇妃ムムターズ・マハルのために造営した墓廟で、世界でもっとも美しい建築とたたえられる（タージ・マハルには皇帝と皇帝より先になくなった皇妃が眠る）。白大理石を使ったドームや本体、ミナレット、左右対称のたたずまい、調和のとれたプロポーションなどが緻密に計算されている。このタージ・マハルの造営には22年の歳月がかけられ、帝国の財政をかたむけるほどだったという。世界遺産に指定されている。

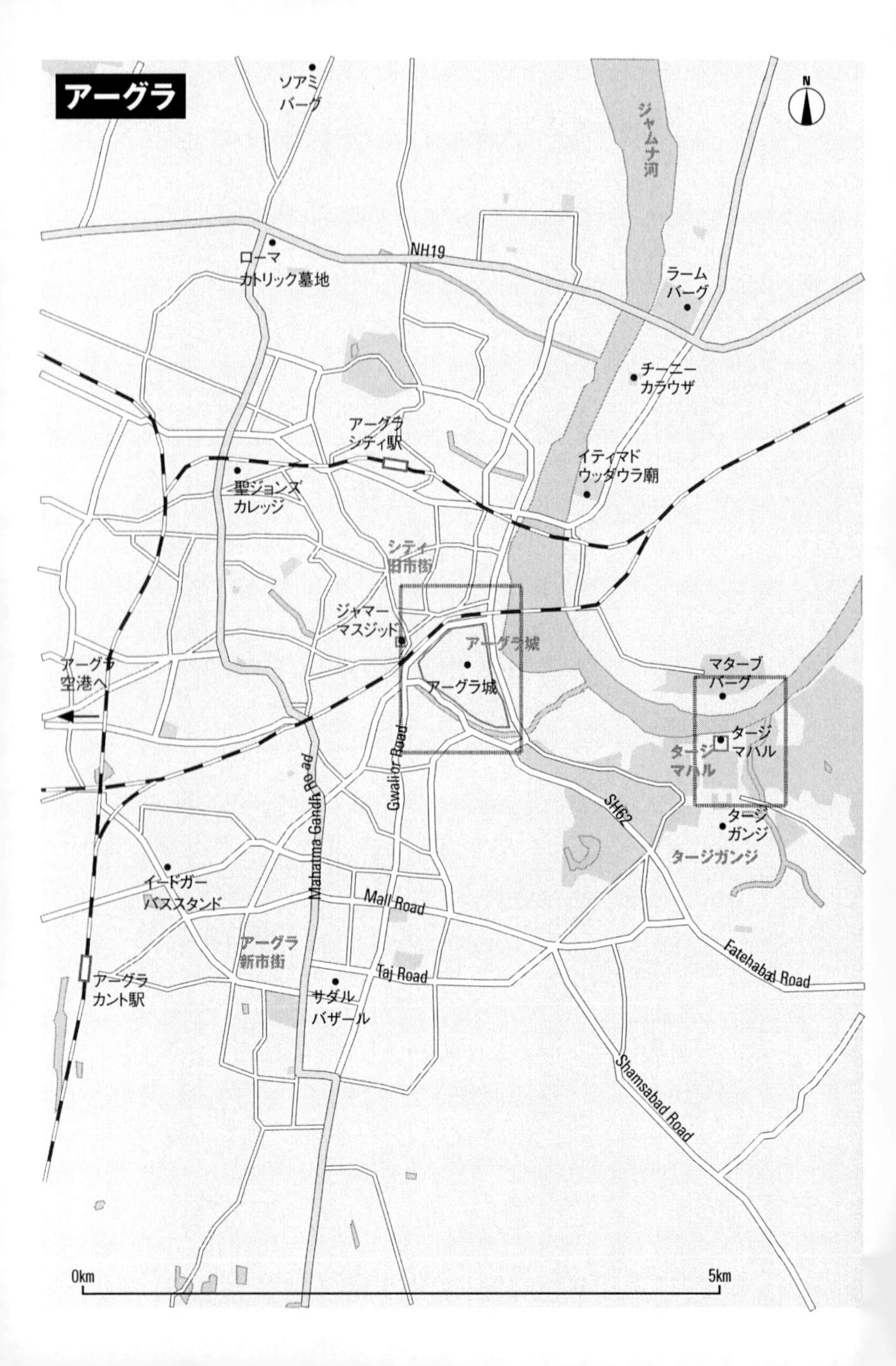
アーグラ
ソアミ
バーグ
ジャムナ河
NH19
ローマ
カトリック墓地
ラーム
バーグ
チーニー
カラウザ
アーグラ
シティ駅
イティマド
ウッダウラ廟
聖ジョンズ
カレッジ
シティ
旧市街
ジャマー
マスジッド
アーグラ城
アーグラ城
アーグラ
空港へ
マターブ
バーグ
タージ
マハル
タージ
マハル
SH62
タージ
ガンジ
タージガンジ
Gwalior Road
Mahatma Gandh Road
イードガー
バススタンド
Mall Road
アーグラ
新市街
Fatehabad Road
Taj Road
アーグラ
カント駅
サダル
バザール
Shamsabad Road
0km
5km

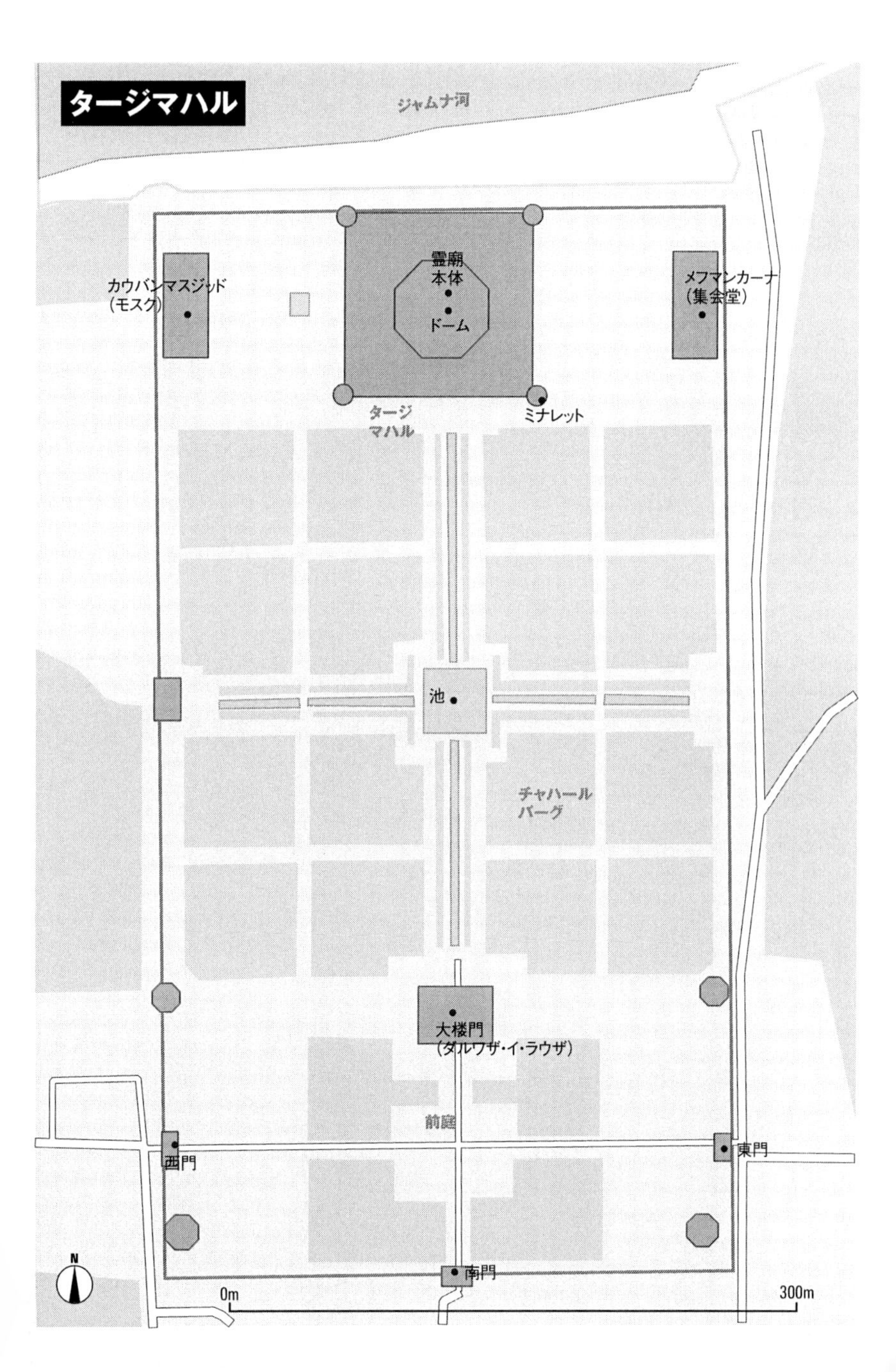

タージマハル
ジャムナ河
霊廟
本体
ドーム
カウバンマスジッド
（モスク）
メフマンカーナ
（集会堂）
タージ
マハル
ミナレット
池
チャハール
バーグ
大楼門
（ダルワザ・イ・ラウザ）
前庭
西門
東門
南門
N
0m
300m

皇帝の妻への想いがこの傑作建築を生んだ

赤砂岩のアーグラ城、ムガル帝国の宮廷がおかれていた

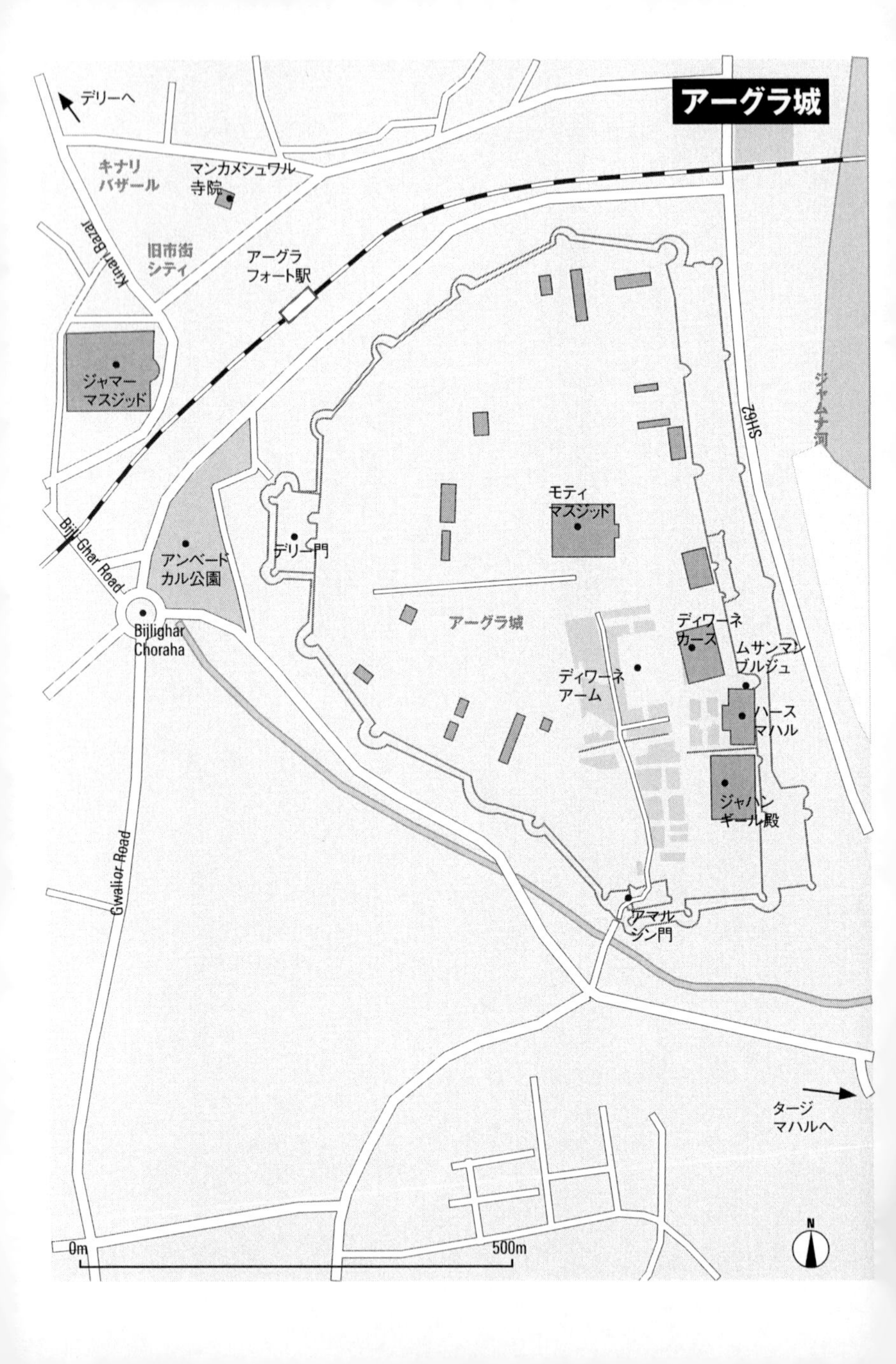

アーグラ城
デリーへ
キナリ
バザール
マンカメシュワル
寺院
Kinari Bazar
旧市街
シティ
アーグラ
フォート駅
ジャマー
マスジッド
Bijli Ghar Road
アンベード
カル公園
Bijlighar
Choraha
デリー門
モティ
マスジッド
アーグラ城
ディワーネ
カース
ムサンマン
ブルジュ
ディワーネ
アーム
ハース
マハル
ジャハン
ギール殿
アマル
シン門
SH62
ジャムナ河
Gwalior Road
タージ
マハルへ
0m
500m
N

アーグラ城 ★★☆

Agra Fort　Ⓗ आगरा का किला／Ⓤ قلعہ آگرہ

　赤砂岩の城壁で囲まれたアーグラ城は、ムガル帝国第3代アクバル帝が統治する1563〜1573年に築かれた。それまで各地に勢力が割拠する状況だった北インドにあって、アクバル帝はアーグラを中心とした強力な王権を確立した。アマル・シン門から王城のなかに入ると、皇帝が政務をとったジャハンギール殿やムガル王族のための礼拝堂だったモティ・マスジッドなどが残り、イスラムとヒンドゥーの建築様式が融合されている。世界遺産。

今に伝わるムガル帝国の遺構

　ムガル帝国は16世紀から19世紀まで北インドを統治した王朝で、第3代アクバル帝の時代に統治体制は整えられた。ムガルの統治者は、イスラム教徒だったため、この時代、イスラムとヒンドゥーの文化が融合した建築が建てられることになった。デリーのラール・キラ、フマユーン廟、ジャマー・マスジッド、アーグラのタージ・マハル、アーグラ城はいずれもムガル帝国の遺構となっている。

★★★

アーグラ *Agra*
タージ・マハル *Taj Mahal*

★★☆

アーグラ城 *Agra Fort*

Varanasi

バラナシ城市案内

ガンジス河中流域に位置するバラナシ
この街で沐浴すれば身が清められ
荼毘にふされればその魂は天界へゆくのだという

バラナシ ★★★

Varanasi　ⓗवाराणसी／ⓤوارانسی

ガンジス河の岸辺に開けたバラナシは、ヒンドゥー教最高の聖地で、インド中から巡礼者がこの街に訪れる。その歴史は3000年以上前にさかのぼり、聖地としての性格がこれほど長く続いている街は世界にふたつとないと言われる。バラナシはガンジス河の岸辺から放射状に広がり、そのそばにある旧市街、旧市街の北側が新市街となっている。真理を求めて世を捨てたサドゥー、この街で死を待つ人、焼かれていく遺体などバラナシではさまざまな人々の営みが続いている。

ガンジス河 ★★☆

Ganges／ⓗगंगा／ⓤدریائے گنگا

インドでは水は聖なるものと考えられ、とくにガンジス河で沐浴すればあらゆる罪が洗い清められると信じられている。ヒマラヤからくだったガンジス河はこの街では南から北へ逆流するように流れ、そこからベンガル湾へと注いでいく。バラナシの街はガンジス河の岸辺からはじまったとされ、多くの人が沐浴するためにこの街を訪れる。こうしたなか、ガンジス河の対岸は不浄の地とされ、荒野が広がっている。

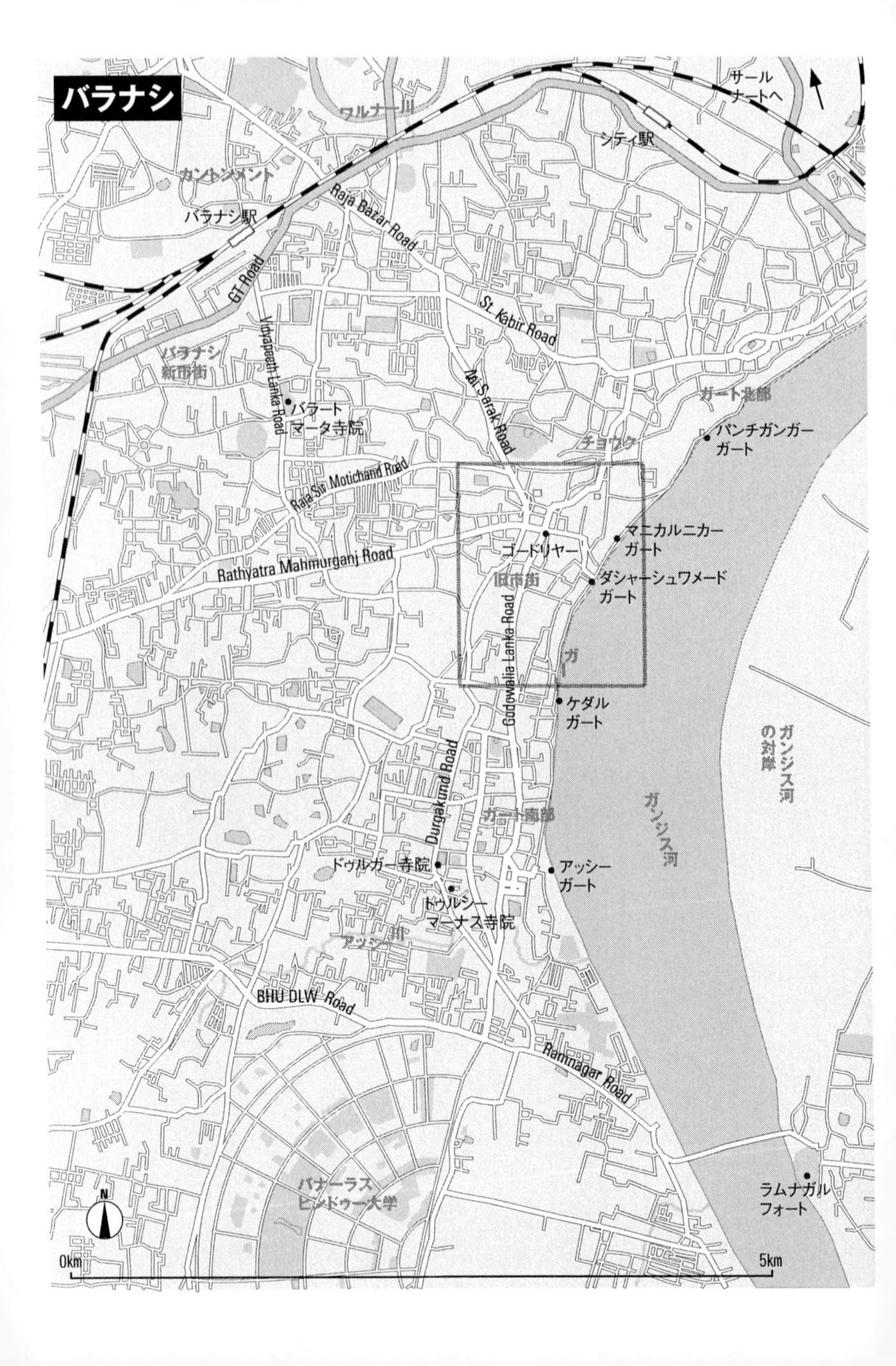

バラナシ
サールナートへ
ヴァルナー川
シティ駅
カントンメント
バラナシ駅
Raja Bazar Road
GT Road
St. Kabir Road
Vidyapeeth Lanka Road
バラナシ新市街
Nai Sarak Road
ガート北部
バラート マータ寺院
パンチガンガー ガート
チョウク
Raja Sir Motichand Road
マニカルニカー ガート
ゴードリヤー
Rathyatra Mahmurganj Road
ダシャーシュワメード ガート
旧市街
Godowlia Lanka Road
ケダル ガート
ガンジス河の対岸
Durgakund Road
ガート南部
ガンジス河
ドゥルガー寺院
アッシー ガート
トゥルシー マーナス寺院
アッシー川
BHU DLW Road
Ramnagar Road
バナーラス ヒンドゥー大学
ラムナガル フォート
N
0km
5km

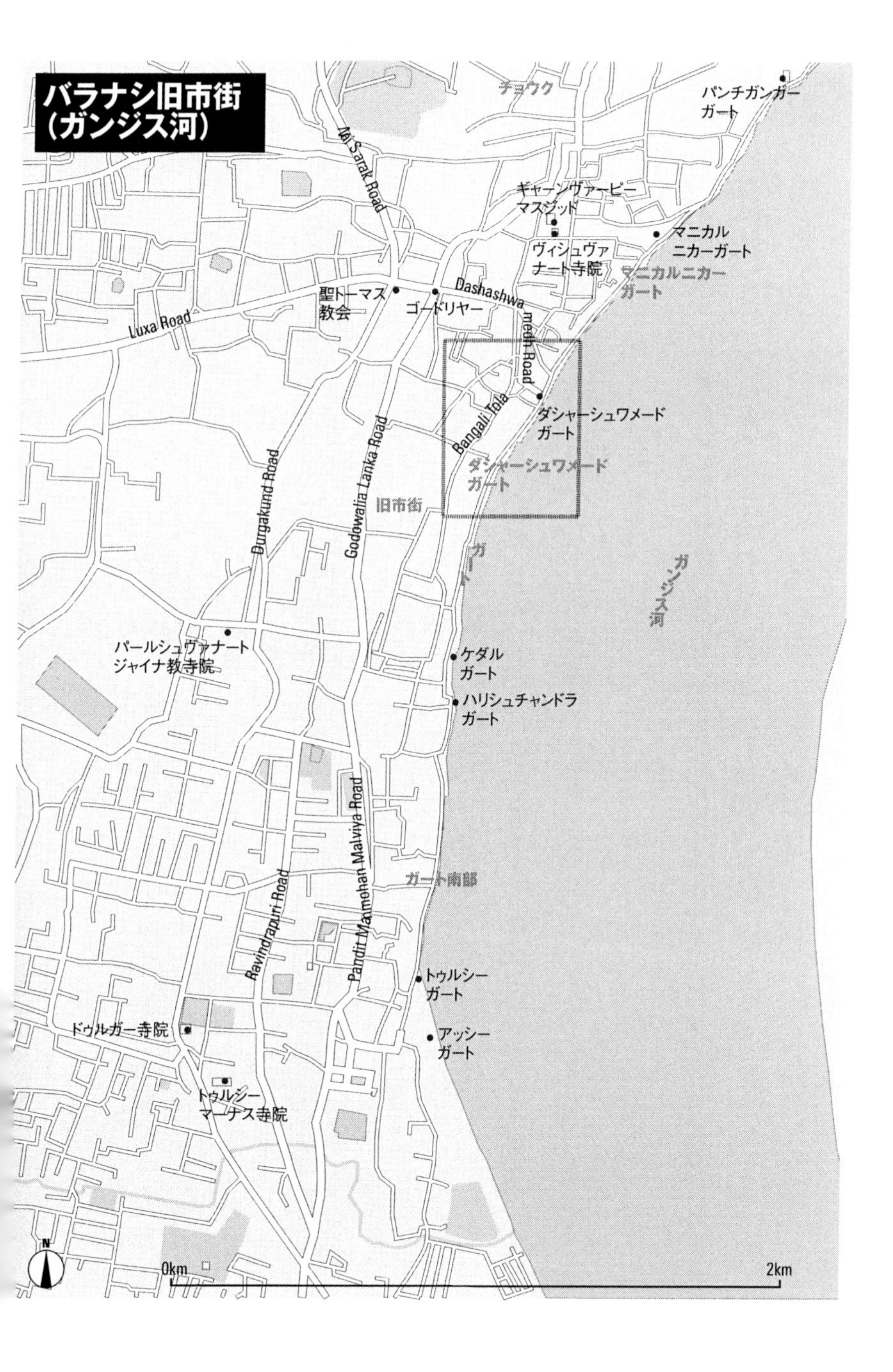
バラナシ旧市街
（ガンジス河）
チョウク
パンチガンガー
ガート
Nai Sarak Road
ギャーンヴァーピー
マスジッド
マニカル
ニカーガート
ヴィシュヴァ
ナート寺院
マニカルニカー
ガート
聖トーマス
教会
ゴードリヤー
Dashashwa
medh Road
Luxa Road
Bangali Tola
ダシャーシュワメード
ガート
ダシャーシュワメード
ガート
旧市街
Durgakund Road
Godowalia Lanka Road
ガート
ガンジス河
パールシュヴァナート
ジャイナ教寺院
ケダル
ガート
ハリシュチャンドラ
ガート
Pandit Madmohan Malviya Road
Ravindrapuri Road
ガート南部
トゥルシー
ガート
ドゥルガー寺院
アッシー
ガート
トゥルシー
マーナス寺院
N
0km
2km

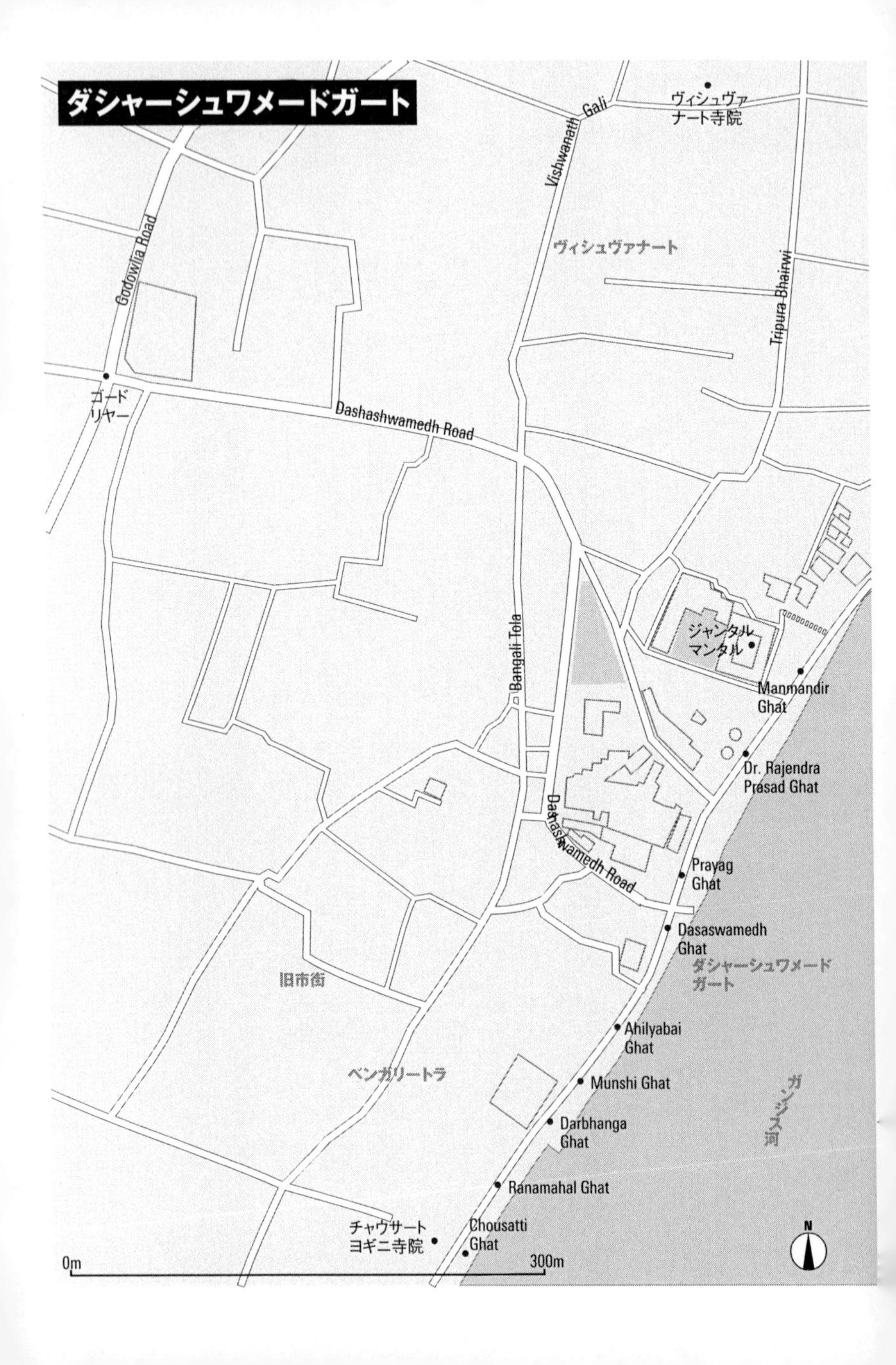
ダシャーシュワメードガート
Vishwanath Gali
ヴィシュヴァナート寺院
ヴィシュヴァナート
Godowlia Road
Tripura Bhairwi
ゴードリヤー
Dashashwamedh Road
ジャンタルマンタル
Bangali Tola
Manmandir Ghat
Dr. Rajendra Prasad Ghat
Dashashwamedh Road
Prayag Ghat
Dasaswamedh Ghat
ダシャーシュワメードガート
旧市街
Ahilyabai Ghat
ベンガリートラ
Munshi Ghat
ガンジス河
Darbhanga Ghat
Ranamahal Ghat
チャウサートヨギニ寺院
Chousatti Ghat
N
0m
300m

ガート ★★☆

Ghat／Ⓗ घाट／Ⓤ گھاٹ

ガンジス河の岸辺に、南北に続くのがガートと呼ばれる階段状の沐浴場。火葬場がおかれているマニカルニカー・ガート、夕暮れにプージャ（ヒンドゥー教祭祀）が行なわれるダシャーシュワメード・ガートはじめ、インド各地の人がそれぞれ沐浴を行なうガートがならぶ。またこのガートの後方にはヒンドゥー寺院が立ちならぶ。

サールナート ★☆☆

Sarnath／Ⓗ सारनाथ／Ⓤ سارناتھ

バラナシの北郊外に位置するサールナートは、今から2500年前、ブッダガヤで悟りを開いたブッダがはじめてその教えを説いた「初転法輪の地」。当時、鹿が多く生息したことから日本では鹿野苑の名前でも知られる。ブッダがここを選んだのは、バラモン文化の中心地であったバラナシのそばで、あえて新しい教え（仏教）を説くという意図があったと考えられている。

★★★
バラナシ *Varanasi*

★★☆
ガンジス河 *Ganges*
ガート *Ghat*

★☆☆
サールナート *Sarnath*

バラナシのガート、洗濯する人の姿も見える

バラナシの北8kmに位置するサールナート

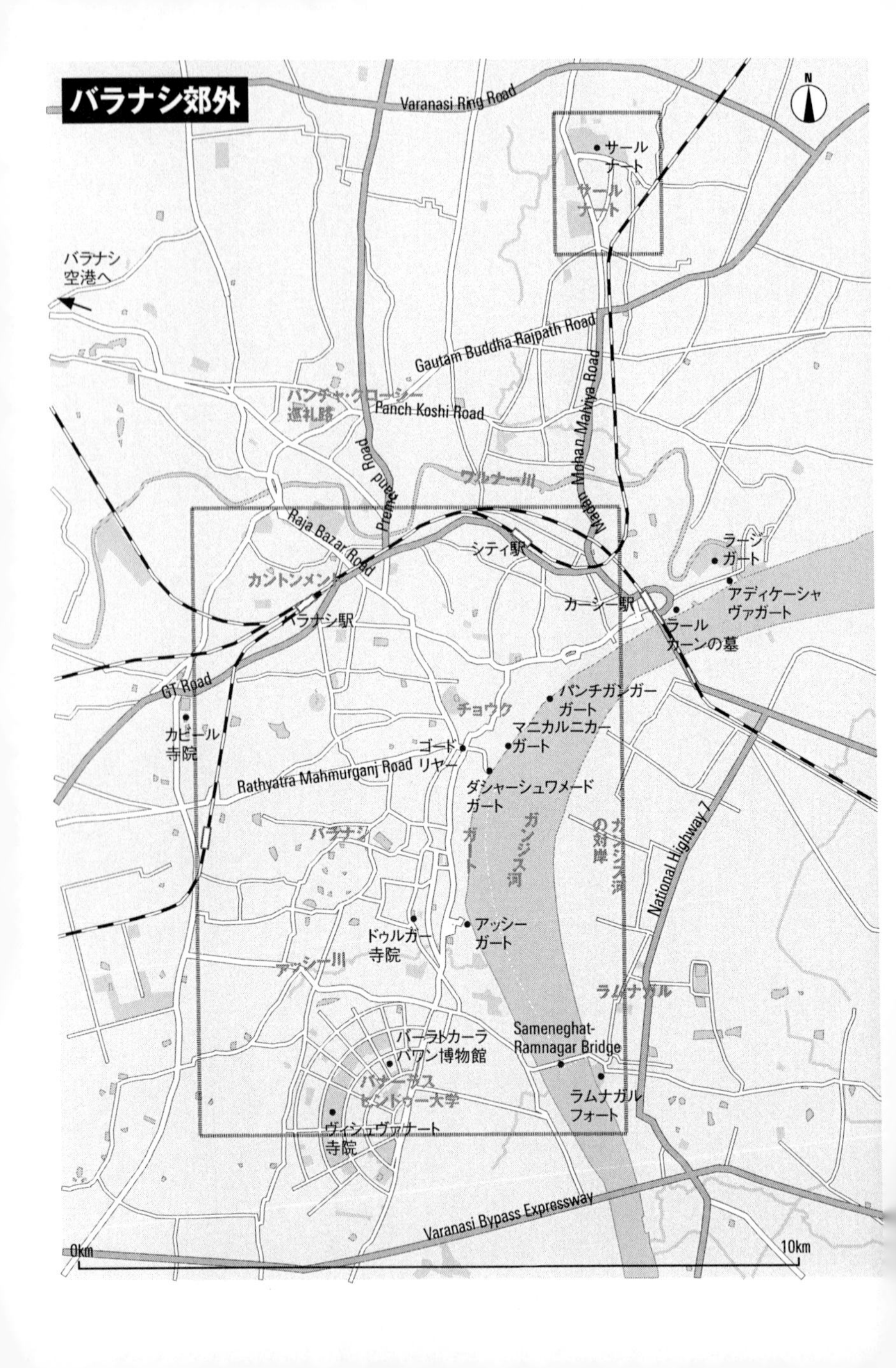

バラナシ郊外
Varanasi Ring Road
サールナート
サールナート
バラナシ空港へ
Gautam Buddha Rajpath Road
パンチャ・クローシー巡礼路
Panch Koshi Road
Madan Mohan Malviya Road
Prem Chand Road
ワルナー川
Raja Bazar Road
シティ駅
ラージガート
カントンメント
アディケーシャヴァガート
カーシー駅
ラールカーンの墓
バラナシ駅
GT Road
パンチガンガーガート
チョウク
カビール寺院
マニカルニカーガート
ゴードリヤー
Rathyatra Mahmurganj Road
ダシャーシュワメードガート
ガンジス河
ガンジス河の対岸
バラナシ
ガート
National Highway 7
ドゥルガー寺院
アッシーガート
アッシー川
ラムナガル
Sameneghat-Ramnagar Bridge
バーラトカーラバワン博物館
ラムナガルフォート
バナーラスヒンドゥー大学
ヴィシュヴァナート寺院
Varanasi Bypass Expressway
0km
10km

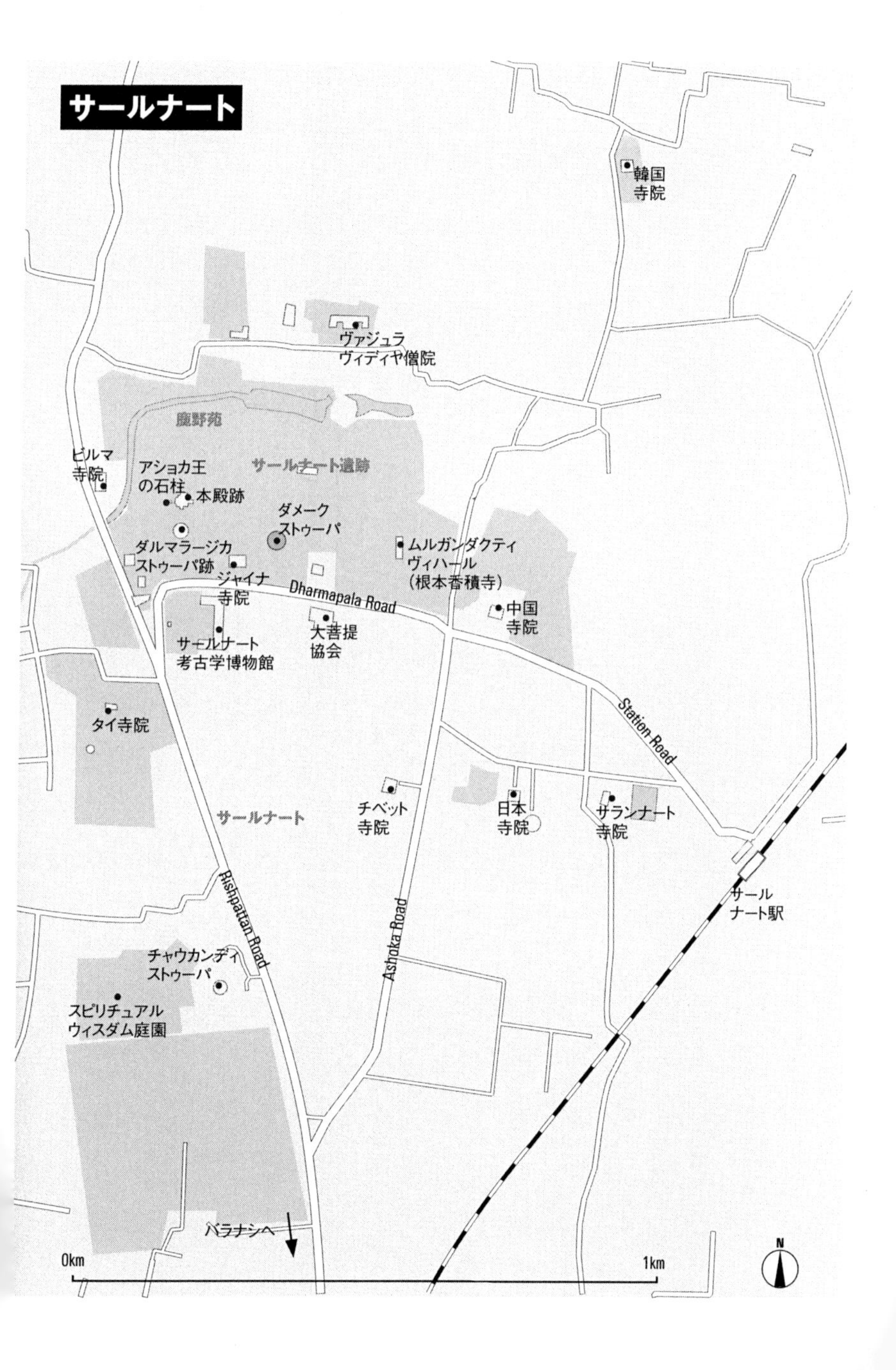

サールナート
韓国寺院
ヴァジュラヴィディヤ僧院
鹿野苑
サールナート遺跡
ビルマ寺院
アショカ王の石柱
本殿跡
ダメークストゥーパ
ダルマラージカストゥーパ跡
ジャイナ寺院
ムルガンダクティヴィハール（根本香積寺）
Dharmapala Road
中国寺院
大菩提協会
サールナート考古学博物館
Station Road
タイ寺院
チベット寺院
日本寺院
サランナート寺院
サールナート
サールナート駅
Rishipattan Road
Ashoka Road
チャウカンディストゥーパ
スピリチュアルウィスダム庭園
バラナシへ
0km
1km
N

Toraisuru

到来するインドの時代

15億人に向かって増え続ける人口
拡大する経済規模
21世紀はインドの時代と言われる

BRICsの一員

ブラジル(Brazil)、ロシア(Russia)、インド(India)、中国(China)の頭文字からBRICsという言葉が使われ、これらの新興経済国の規模は拡大を続け、その経済規模とともに強い影響力をもつようになった。インドでは1990年代はじめに経済自由化への舵が切られて以降、所得、消費が増大し、高い教育を受け、財閥や外資系企業で働く中間層も台頭している。

爆発する人口

1990年に53億人だった世界人口は1999年には60億人、2012年には70億人を超えた(新興国の出生率の高さ、死亡率の低さなどから世界人口は右肩あがりに増えている)。なかでも突出した存在感を見せるのがインドと中国で、1990年に8億7000万人(中国11億7000万人)だったインドの人口は、1999年に10億人(中国12億7000万人)、2012年に12億4000万人(中国13億8000万人)、2020年には13億5000万人(中国14億3000万人)まで上昇すると考えられている。こうした膨大な人口増は巨大な経済圏をつくり、中国が製造業を主体に経済発展を遂げたのに対して、インドはサービス業、なかでもITに

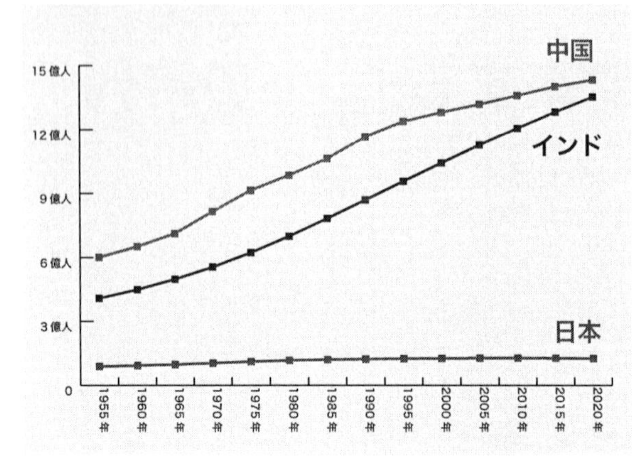

インドの人口増加（データは国際連合webより、中国は香港とマカオをふくまず

よる経済発展が特筆されるという。

超格差社会

世界的な大手IT企業につとめる技術者、会社を起こした富豪がいる一方で、多くの人が家をもたずに路上で生活している超格差社会もインドの姿にあげられる。バラックがならぶスラムと超高層マンション、人々が押し合い肩をせばめる三等列車とエアコンの効いた一等列車、10ルピー以下のチャイとその20倍以上の価格のアフタヌーン・ティー。こうした状況が隣りあわせる様子は日本の社会とは大きく異なり、まったく別の職業や社会階層、思想や宗教をもった人々がひとつの場所に存在している。

参考文献

『多重都市デリー』(荒松雄／中央公論社)
『インド』(辛島昇／新潮社)
『北インド』(辛島昇・坂田貞二／山川出版社)
『インド建築案内』(神谷武夫／ TOTO出版)
『NHKアジア古都物語 ベナレス』(NHK取材班／ NHK出版)
『都市の顔・インドの旅』(坂田貞二／春秋社)
『世界大百科事典』(平凡社)
[PDF] デリー地下鉄路線図　http://machigotopub.com/pdf/delhimetro.pdf
[PDF] デリー空港案内　http://machigotopub.com/pdf/delhiairport.pdf
[PDF] ジャイプル地下鉄路線図　http://machigotopub.com/pdf/jaipurmetro.pdf
OpenStreetMap
(C)OpenStreetMap contributors

まちごとパブリッシングの旅行ガイド

Machigoto INDIA , Machigoto ASIA , Machigoto CHINA

北インド-まちごとインド

001　はじめての北インド
002　はじめてのデリー
003　オールド・デリー
004　ニュー・デリー
005　南デリー
012　アーグラ
013　ファテープル・シークリー
014　バラナシ
015　サールナート
022　カージュラホ
032　アムリトサル

西インド-まちごとインド

001　はじめてのラジャスタン
002　ジャイプル
003　ジョードプル
004　ジャイサルメール
005　ウダイプル
006　アジメール（プシュカル）
007　ビカネール
008　シェカワティ
011　はじめてのマハラシュトラ
012　ムンバイ
013　プネー
014　アウランガバード
015　エローラ
016　アジャンタ
021　はじめてのグジャラート
022　アーメダバード
023　ヴァドダラー（チャンパネール）
024　ブジ（カッチ地方）

東インド-まちごとインド

002　コルカタ
012　ブッダガヤ

南インド-まちごとインド

001　はじめてのタミルナードゥ
002　チェンナイ
003　カーンチプラム
004　マハーバリプラム
005　タンジャヴール
006　クンバコナムとカーヴェリー・デルタ
007　ティルチラパッリ
008　マドゥライ
009　ラーメシュワラム
010　カニャークマリ
021　はじめてのケーララ
022　ティルヴァナンタプラム
023　バックウォーター（コッラム～アラップーザ）

024　コーチ（コーチン）
025　トリシュール

ネパール-まちごとアジア

001　はじめてのカトマンズ
002　カトマンズ
003　スワヤンブナート
004　パタン
005　バクタプル
006　ポカラ
007　ルンビニ
008　チトワン国立公園

バングラデシュ-まちごとアジア

001　はじめてのバングラデシュ
002　ダッカ
003　バゲルハット（クルナ）
004　シュンドルボン
005　プティア
006　モハスタン（ボグラ）
007　パハルプール

パキスタン-まちごとアジア

002　フンザ
003　ギルギット（KKH）
004　ラホール
005　ハラッパ
006　ムルタン

イラン-まちごとアジア

001　はじめてのイラン
002　テヘラン
003　イスファハン
004　シーラーズ
005　ペルセポリス
006　パサルガダエ（ナグシェ・ロスタム）
007　ヤズド
008　チョガ・ザンビル（アフヴァーズ）
009　タブリーズ
010　アルダビール

北京-まちごとチャイナ

001　はじめての北京
002　故宮（天安門広場）
003　胡同と旧皇城
004　天壇と旧崇文区
005　瑠璃廠と旧宣武区
006　王府井と市街東部
007　北京動物園と市街西部
008　頤和園と西山
009　盧溝橋と周口店
010　万里の長城と明十三陵

天津-まちごとチャイナ

001　はじめての天津
002　天津市街
003　浜海新区と市街南部
004　薊県と清東陵

上海-まちごとチャイナ

001　はじめての上海
002　浦東新区
003　外灘と南京東路
004　淮海路と市街西部
005　虹口と市街北部
006　上海郊外（龍華・七宝・松江・嘉定）
007　水郷地帯（朱家角・周荘・同里・甪直）

河北省-まちごとチャイナ

001　はじめての河北省
002　石家荘
003　秦皇島
004　承徳
005　張家口
006　保定
007　邯鄲

江蘇省-まちごとチャイナ

001　はじめての江蘇省
002　はじめての蘇州
003　蘇州旧城
004　蘇州郊外と開発区
005　無錫
006　揚州
007　鎮江
008　はじめての南京
009　南京旧城
010　南京紫金山と下関
011　雨花台と南京郊外・開発区
012　徐州

浙江省-まちごとチャイナ

001　はじめての浙江省
002　はじめての杭州
003　西湖と山林杭州
004　杭州旧城と開発区
005　紹興
006　はじめての寧波
007　寧波旧城
008　寧波郊外と開発区
009　普陀山
010　天台山
011　温州

福建省-まちごとチャイナ

001　はじめての福建省
002　はじめての福州
003　福州旧城
004　福州郊外と開発区
005　武夷山

006　泉州
007　厦門
008　客家土楼

広東省-まちごとチャイナ

001　はじめての広東省
002　はじめての広州
003　広州古城
004　天河と広州郊外
005　深圳(深セン)
006　東莞
007　開平(江門)
008　韶関
009　はじめての潮汕
010　潮州
011　汕頭

遼寧省-まちごとチャイナ

001　はじめての遼寧省
002　はじめての大連
003　大連市街
004　旅順
005　金州新区
006　はじめての瀋陽
007　瀋陽故宮と旧市街
008　瀋陽駅と市街地
009　北陵と瀋陽郊外
010　撫順

重慶-まちごとチャイナ

001　はじめての重慶
002　重慶市街
003　三峡下り(重慶~宜昌)
004　大足
005　重慶郊外と開発区

四川省-まちごとチャイナ

001　はじめての四川省
002　はじめての成都
003　成都旧城
004　成都周縁部
005　青城山と都江堰
006　楽山
007　峨眉山
008　九寨溝

香港-まちごとチャイナ

001　はじめての香港
002　中環と香港島北岸
003　上環と香港島南岸
004　尖沙咀と九龍市街
005　九龍城と九龍郊外
006　新界
007　ランタオ島と島嶼部

マカオ-まちごとチャイナ

001　はじめてのマカオ
002　セナド広場とマカオ中心部
003　媽閣廟とマカオ半島南部
004　東望洋山とマカオ半島北部
005　新口岸とタイパ・コロアン

Juo-Mujin（電子書籍のみ）

Juo-Mujin香港縦横無尽
Juo-Mujin北京縦横無尽
Juo-Mujin上海縦横無尽
Juo-Mujin台北縦横無尽
見せよう! 上海で中国語
見せよう! 蘇州で中国語
見せよう! 杭州で中国語
見せよう! デリーでヒンディー語
見せよう! タージマハルでヒンディー語
見せよう! 砂漠のラジャスタンでヒンディー語

自力旅游中国Tabisuru CHINA

001　バスに揺られて「自力で長城」
002　バスに揺られて「自力で石家荘」
003　バスに揺られて「自力で承徳」
004　船に揺られて「自力で普陀山」
005　バスに揺られて「自力で天台山」
006　バスに揺られて「自力で秦皇島」
007　バスに揺られて「自力で張家口」
008　バスに揺られて「自力で邯鄲」
009　バスに揺られて「自力で保定」
010　バスに揺られて「自力で清東陵」
011　バスに揺られて「自力で潮州」
012　バスに揺られて「自力で汕頭」
013　バスに揺られて「自力で温州」
014　バスに揺られて「自力で福州」
015　メトロに揺られて「自力で深圳」

旅のインド文字

英語
ヒンディー語
パンジャーブ語
ウルドゥー語

英語 = アルファベット
ヒンディー語 = デーヴァナーガリー文字
パンジャーブ語 = グルムキー文字
ウルドゥー語 = ウルドゥー文字

デリー
Delhi

दिल्ली

ਦਿੱਲੀ

دہلی

オールド・デリー
Old Delhi

पुरानी दिल्ली

ਪੁਰਾਣੀ ਦਿੱਲੀ

پرانی دہلی

ラール・キラ
Lal Qila

लाल किला

ਲਾਲ ਕਿਲ੍ਹਾ

لال قلعہ

ニュー・デリー
New Delhi

नई दिल्ली

ਨਵੀਂ ਦਿੱਲੀ

نئی دہلی

コンノート・プレイス
Connaught Place

कनॉट प्लेस

ਕਨਾਟ ਪਲੇਸ

کناٹ پلیس

インド門
India Gate

इण्डिया गेट

ਇੰਡੀਆ ਗੇਟ

باب ہند

フマユーン廟
Tomb of Humayun

हुमायूँ का मकबरा

ਹੁਮਾਯੂੰ ਦੀ ਕਬਰ

مقبرہ ہمایوں

クトゥブ・ミナール
Qutb Minar

कुतुब मीनार

ਕੁਤਬ ਮੀਨਾਰ

قطب مینار

ジャイプル
Jaipur

जयपुर

ジャンタル・マンタル
Jantar Mantar

जंतर मंतर

シティ・パレス
City Palace

सिटी पैलेस

風の宮殿（ハワ・マハル）
Hawa Mahal

हवा महल

アンベール城
Amber Fort

आमेर दुर्

アーグラ
Agra

आगरा

آگرہ

タージ・マハル
Taj Mahal

ताज महल
تاج محل

アーグラ城
Agra Fort

आगरा का किला
قلعہ آگرہ

バラナシ
Varanasi

वाराणसी
وارانسی

ガンジス河
Ganges

गंगा
دریائے گنگا

ガート
Ghat

घाट
گھاٹ

サールナート
Sarnath

सारनाथ
سارناتھ

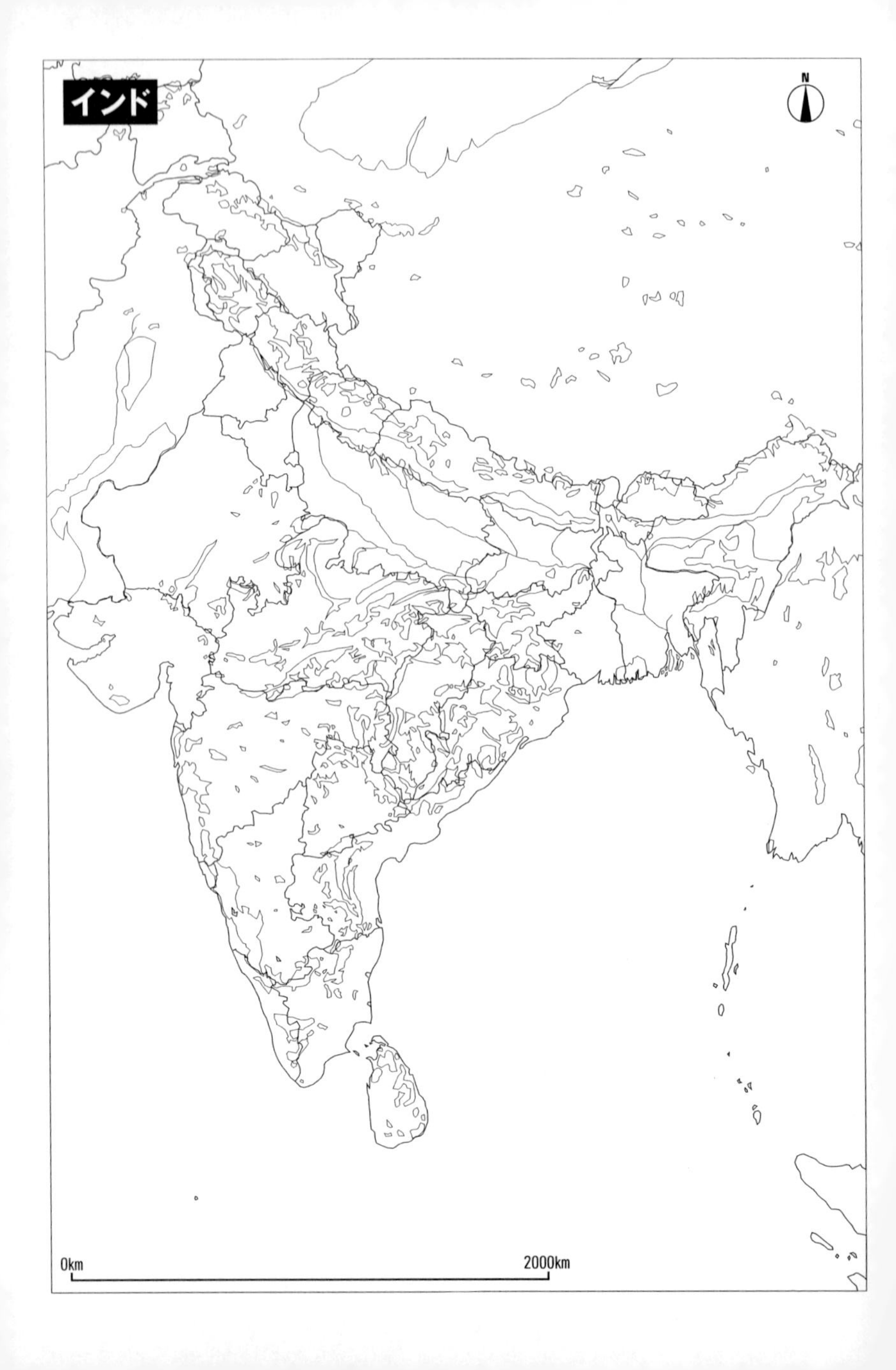
インド
N
0km
2000km

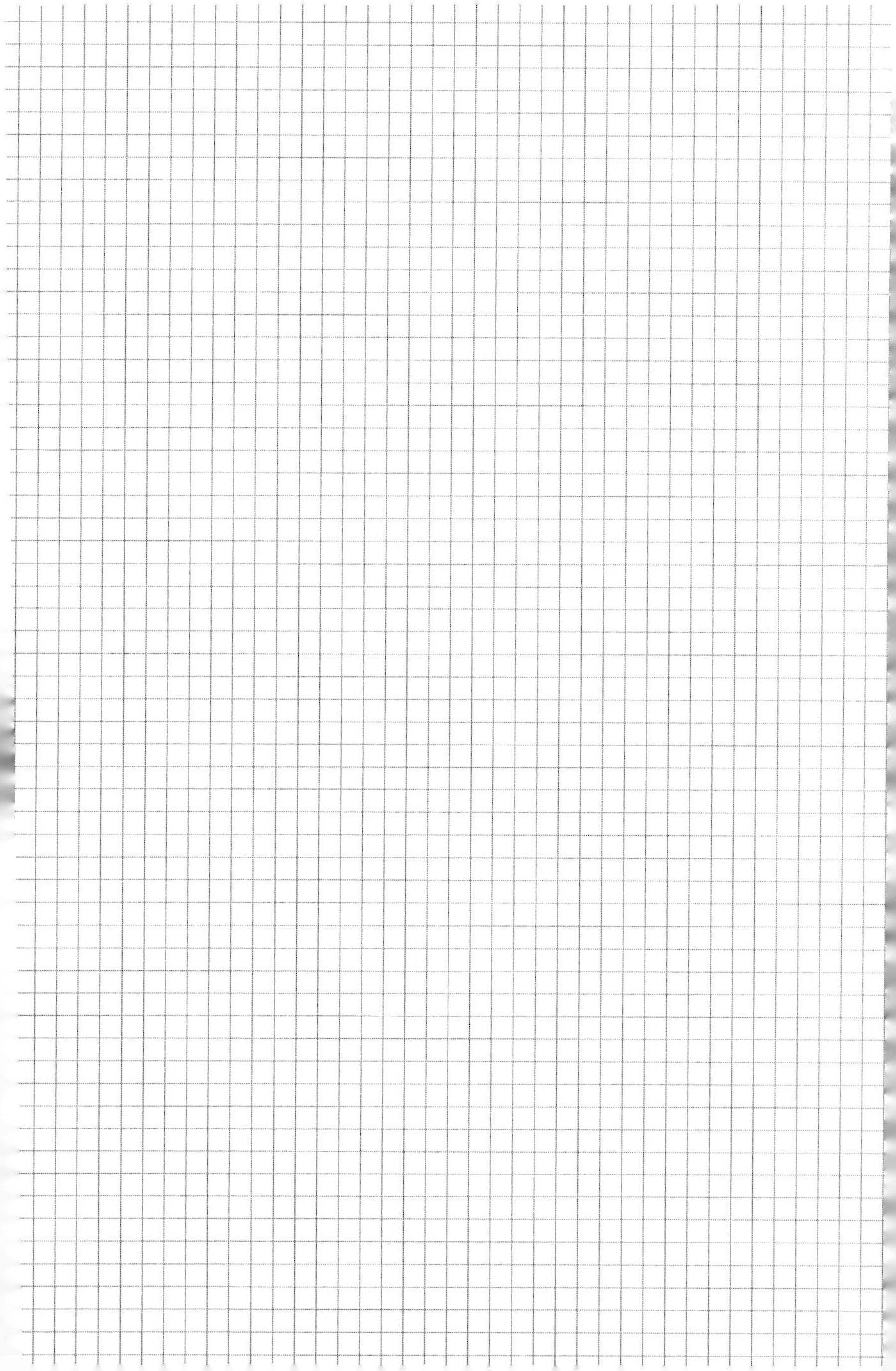

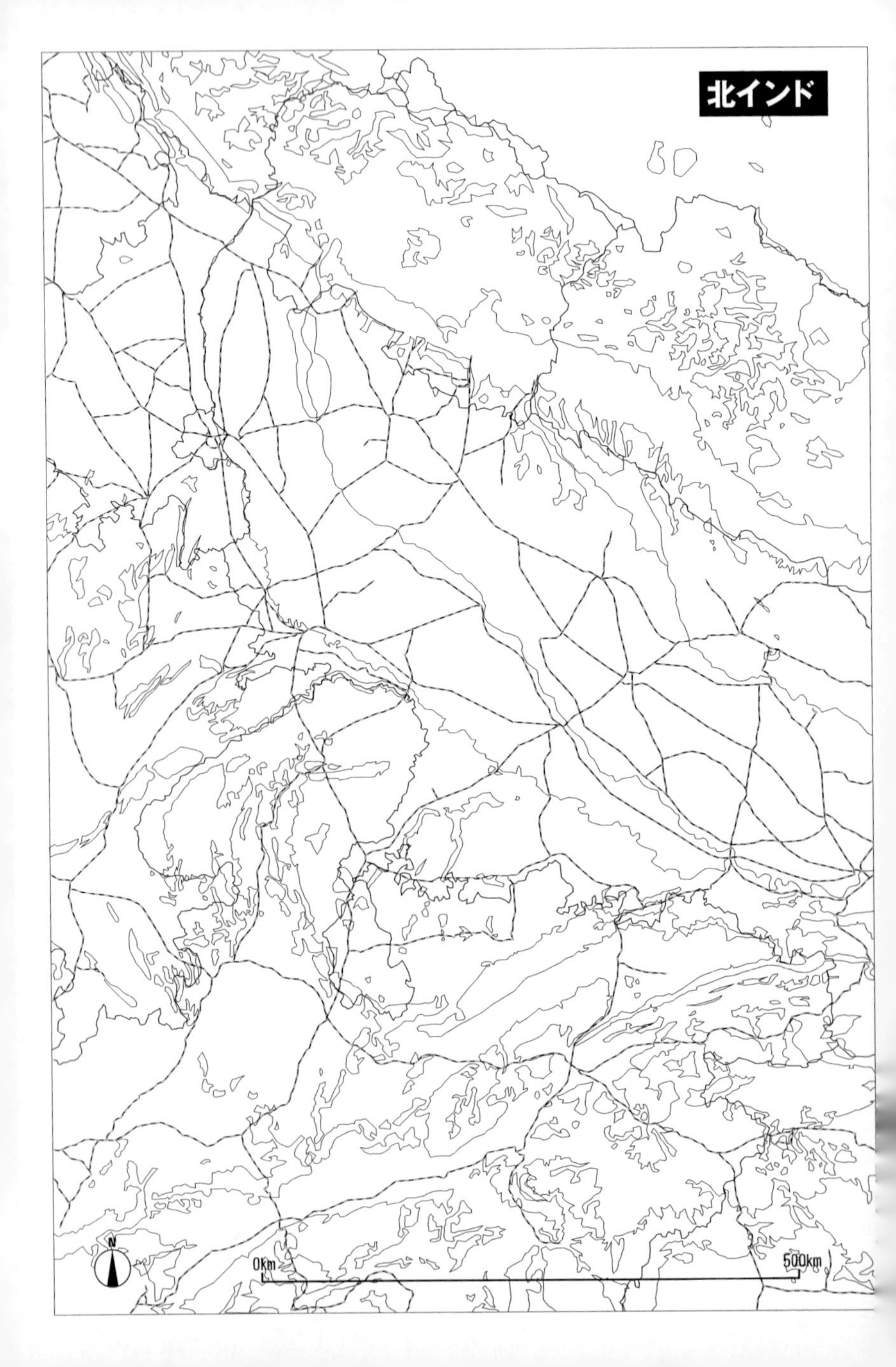
北インド
N
0km
500km

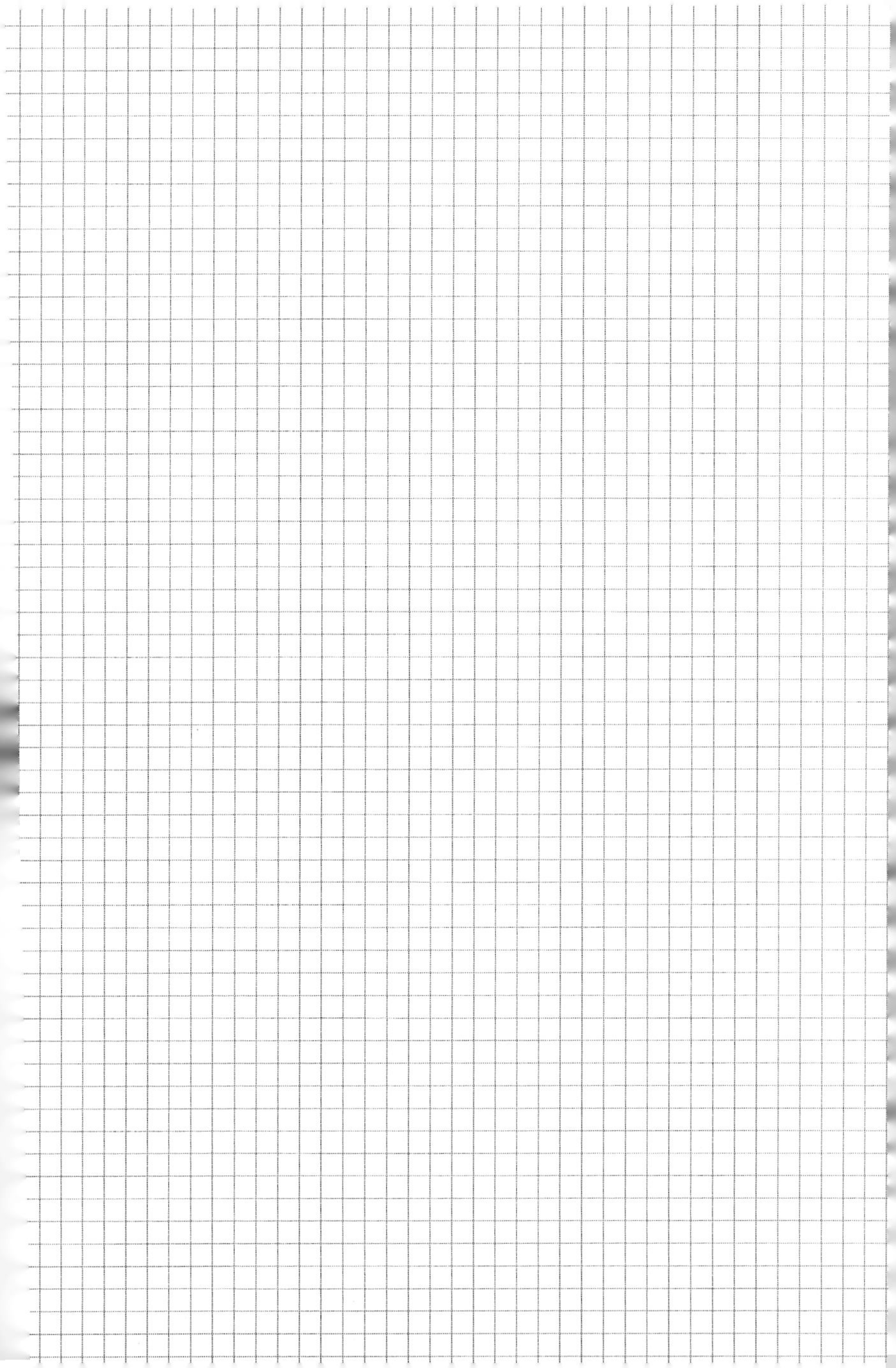

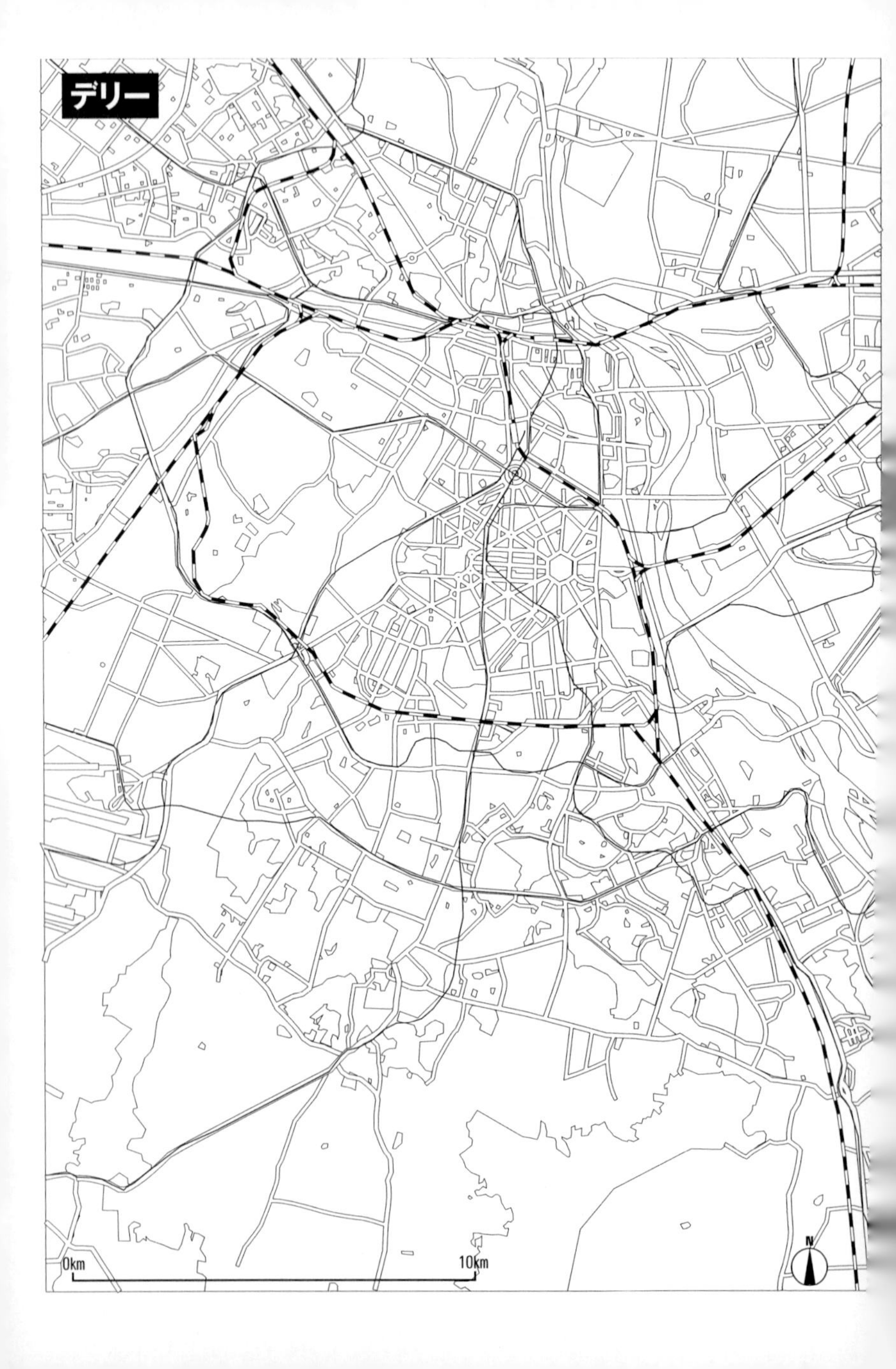
デリー
0km
10km
N

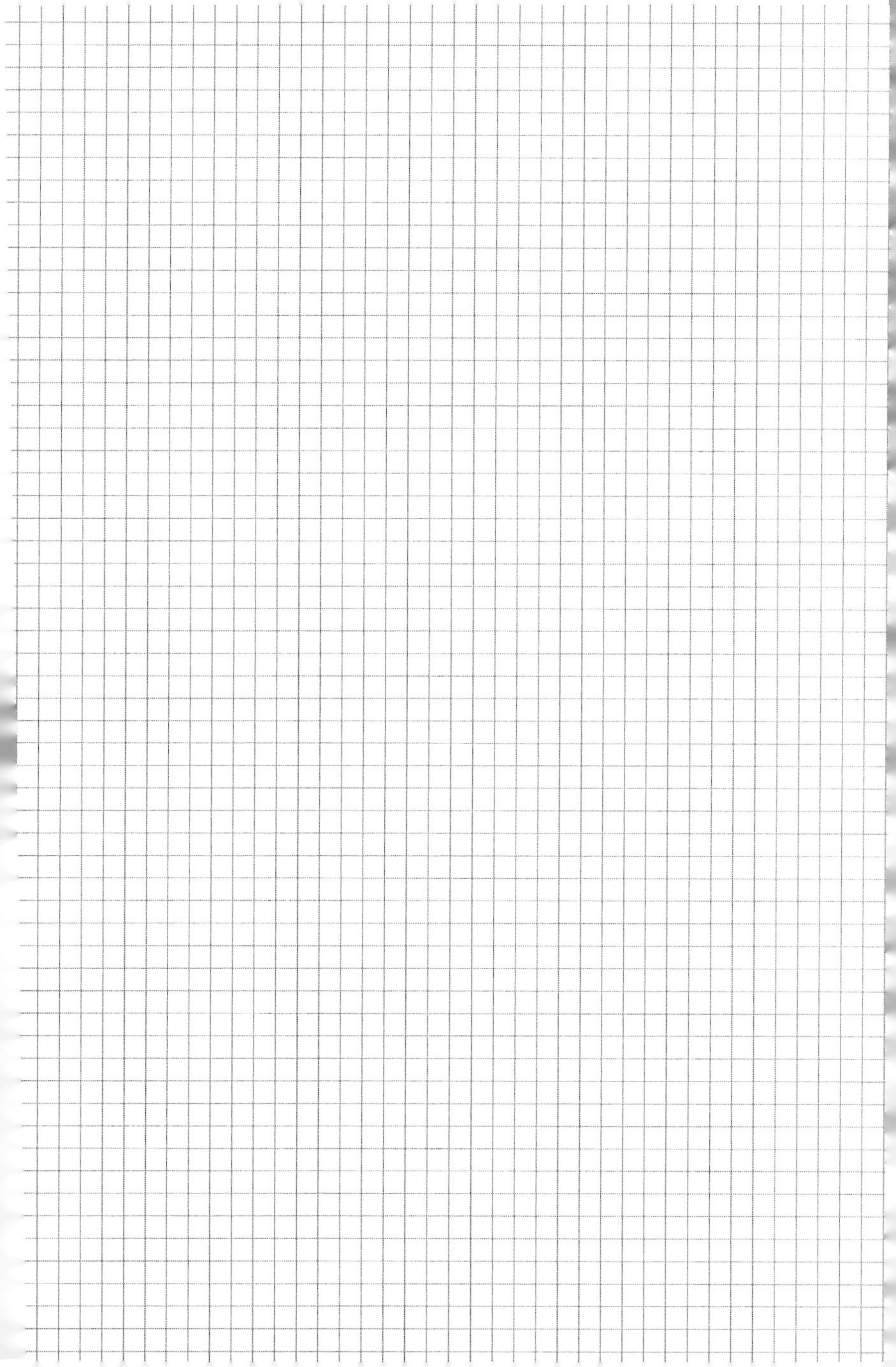

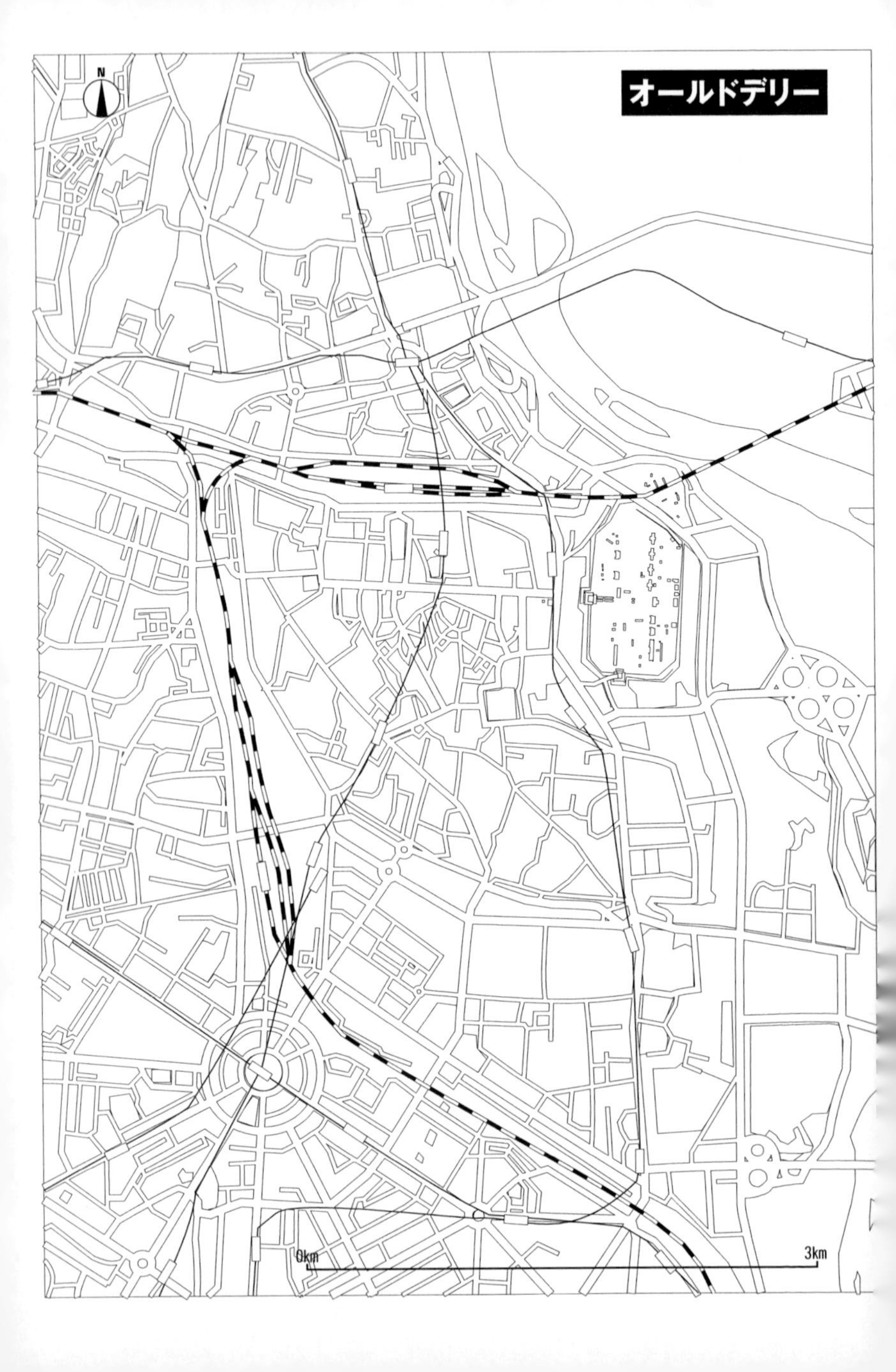

N
オールドデリー
0km
3km

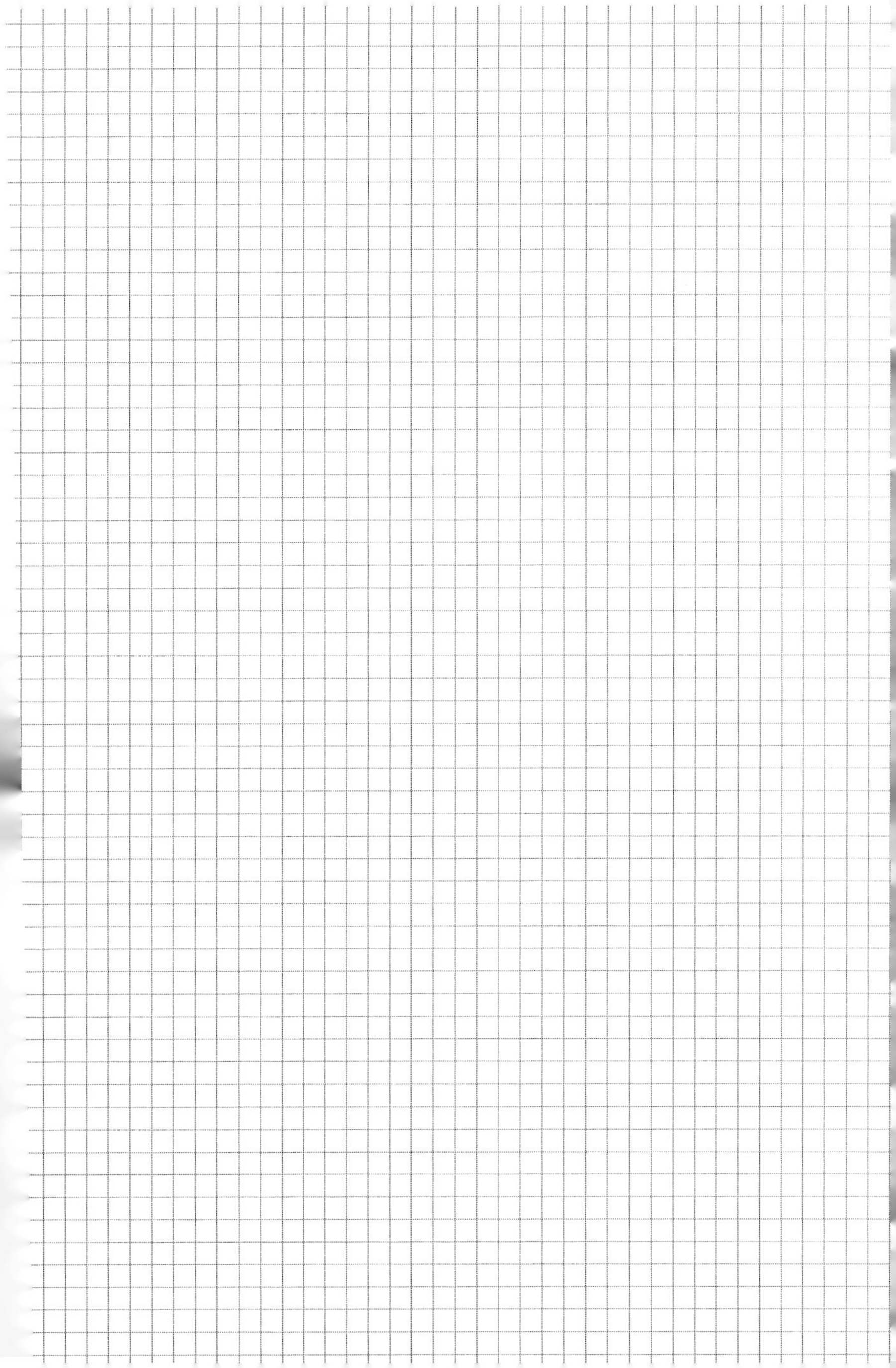

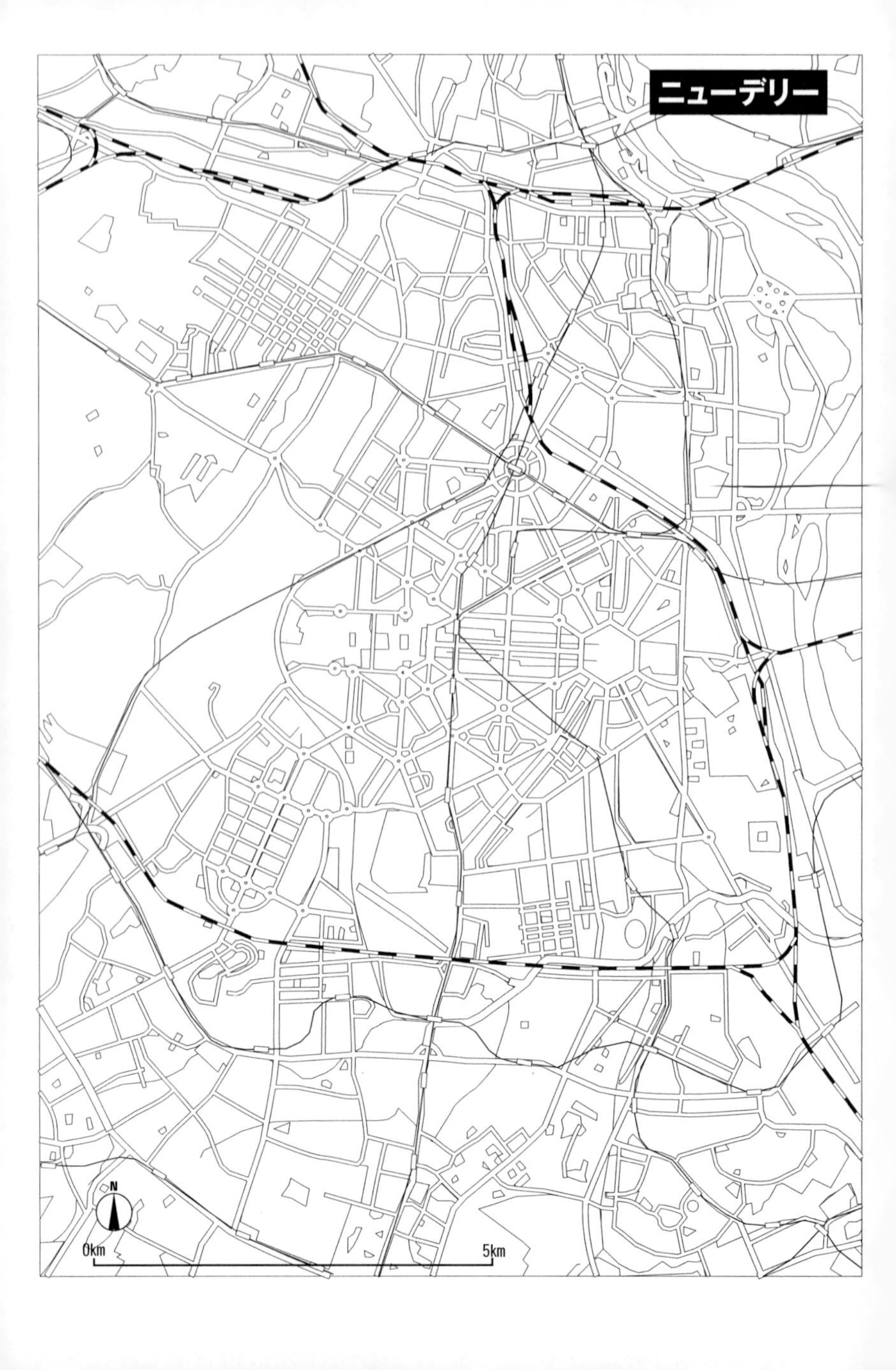
ニューデリー
N
0km
5km

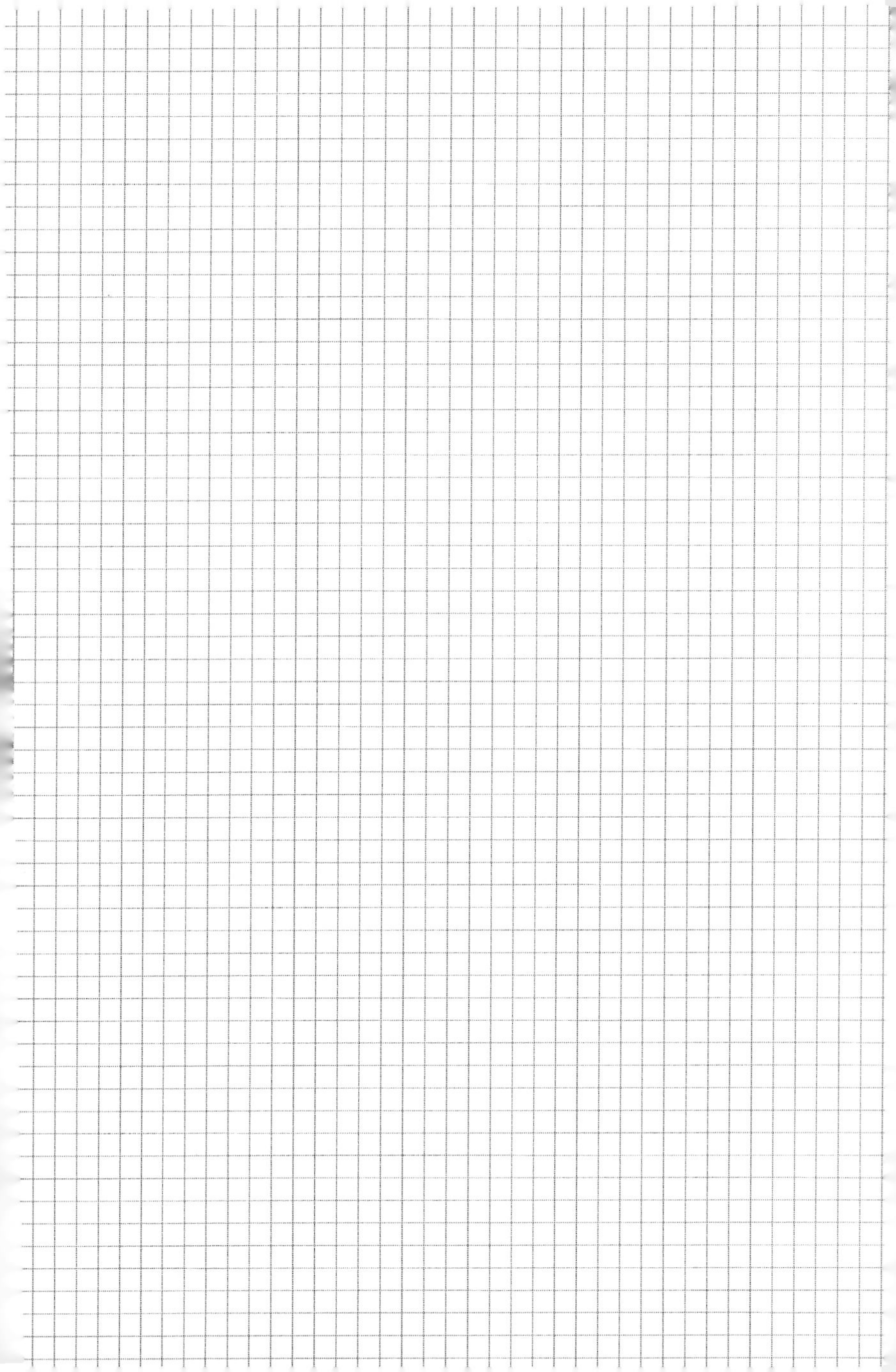

パハールガンジ
0km
1km
N

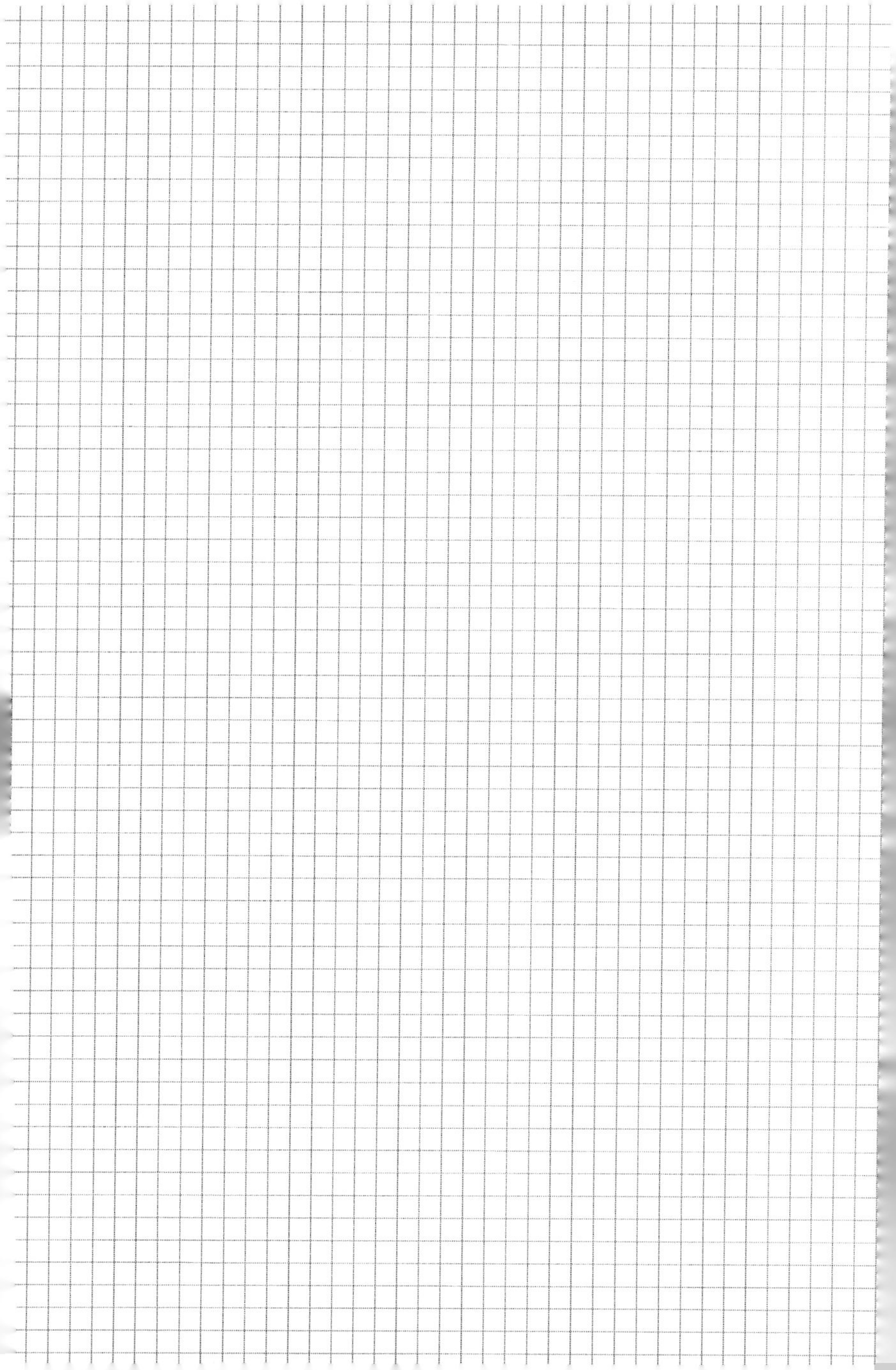

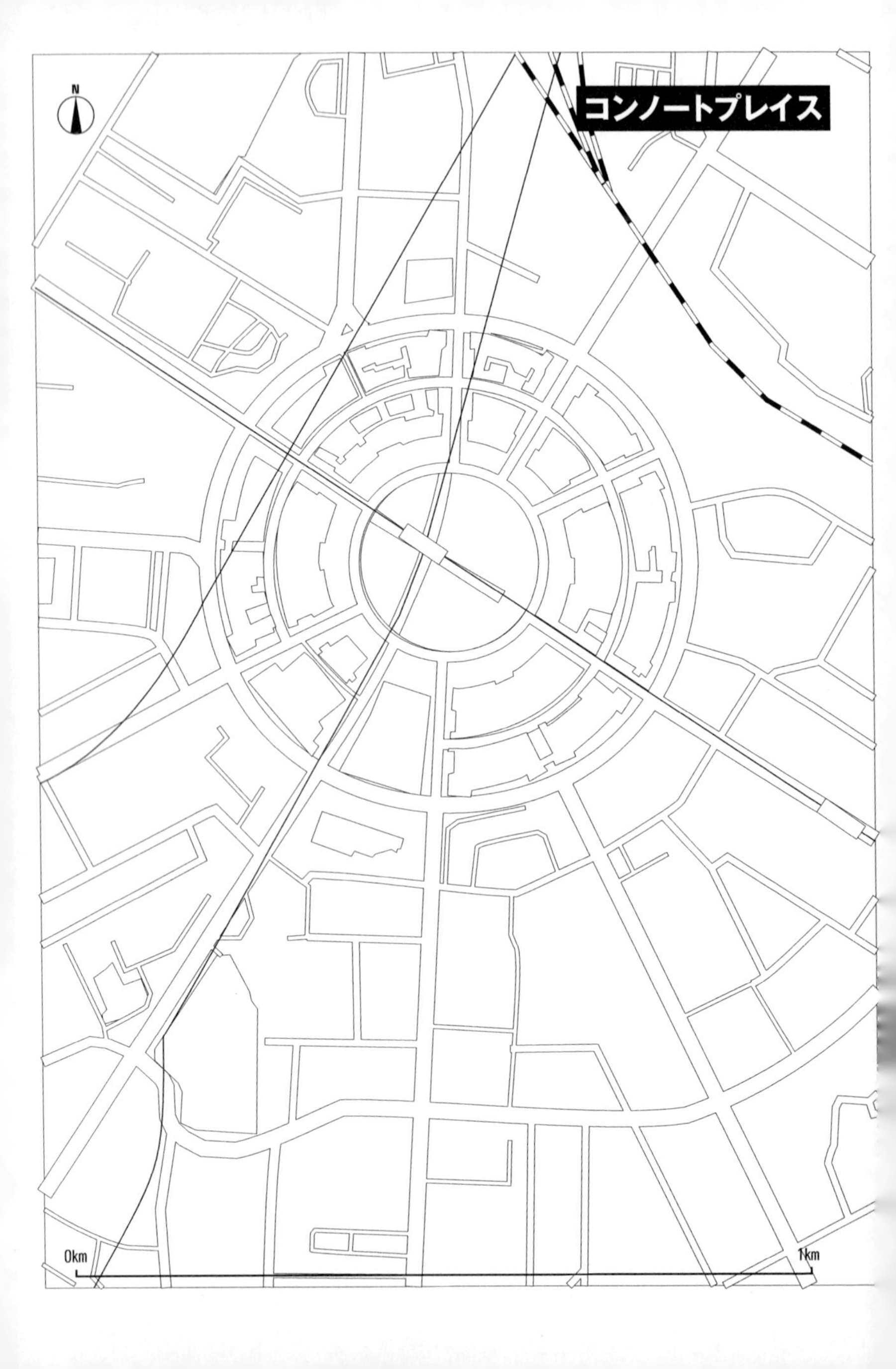
N
コンノートプレイス
0km
1km

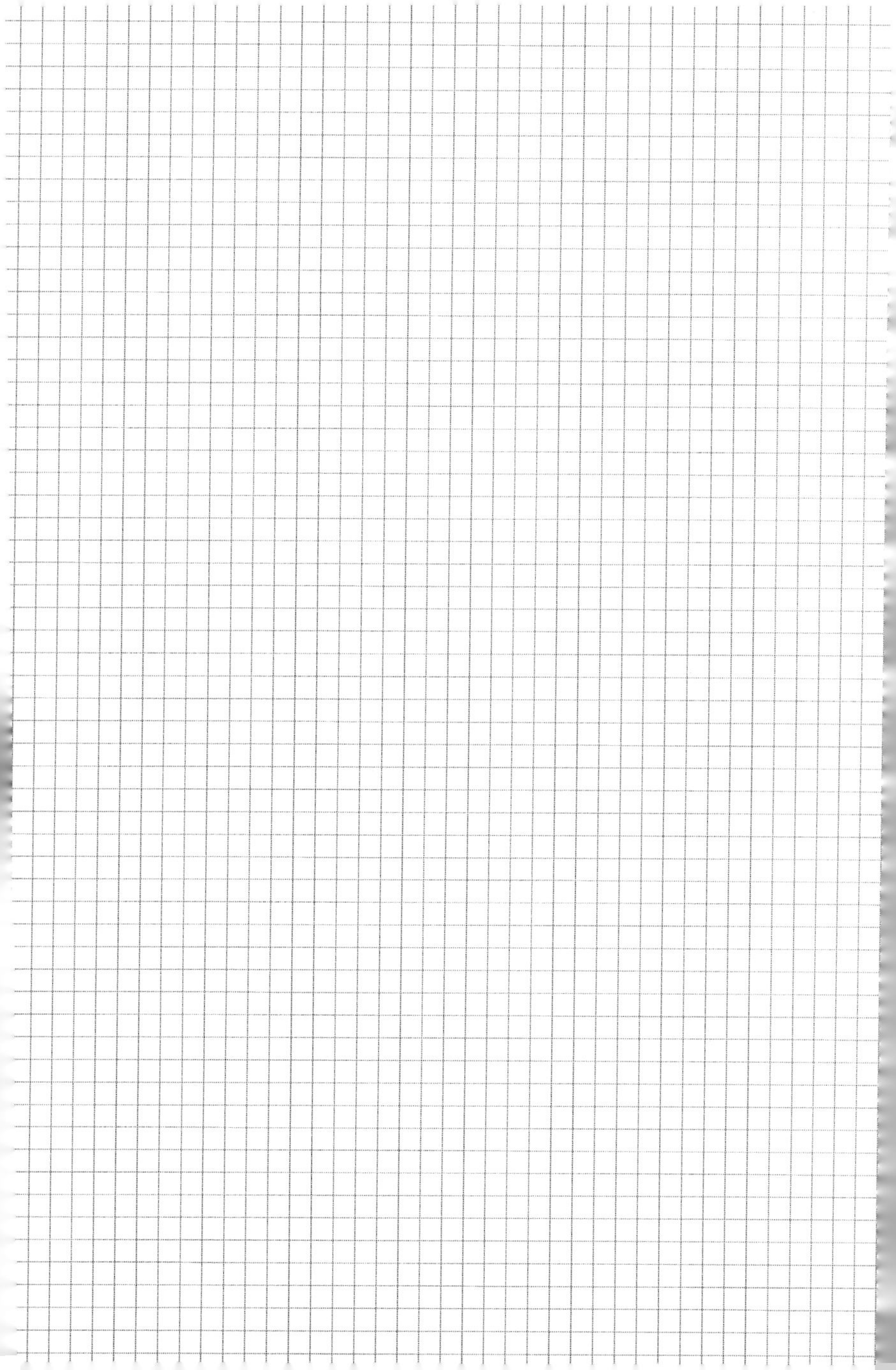

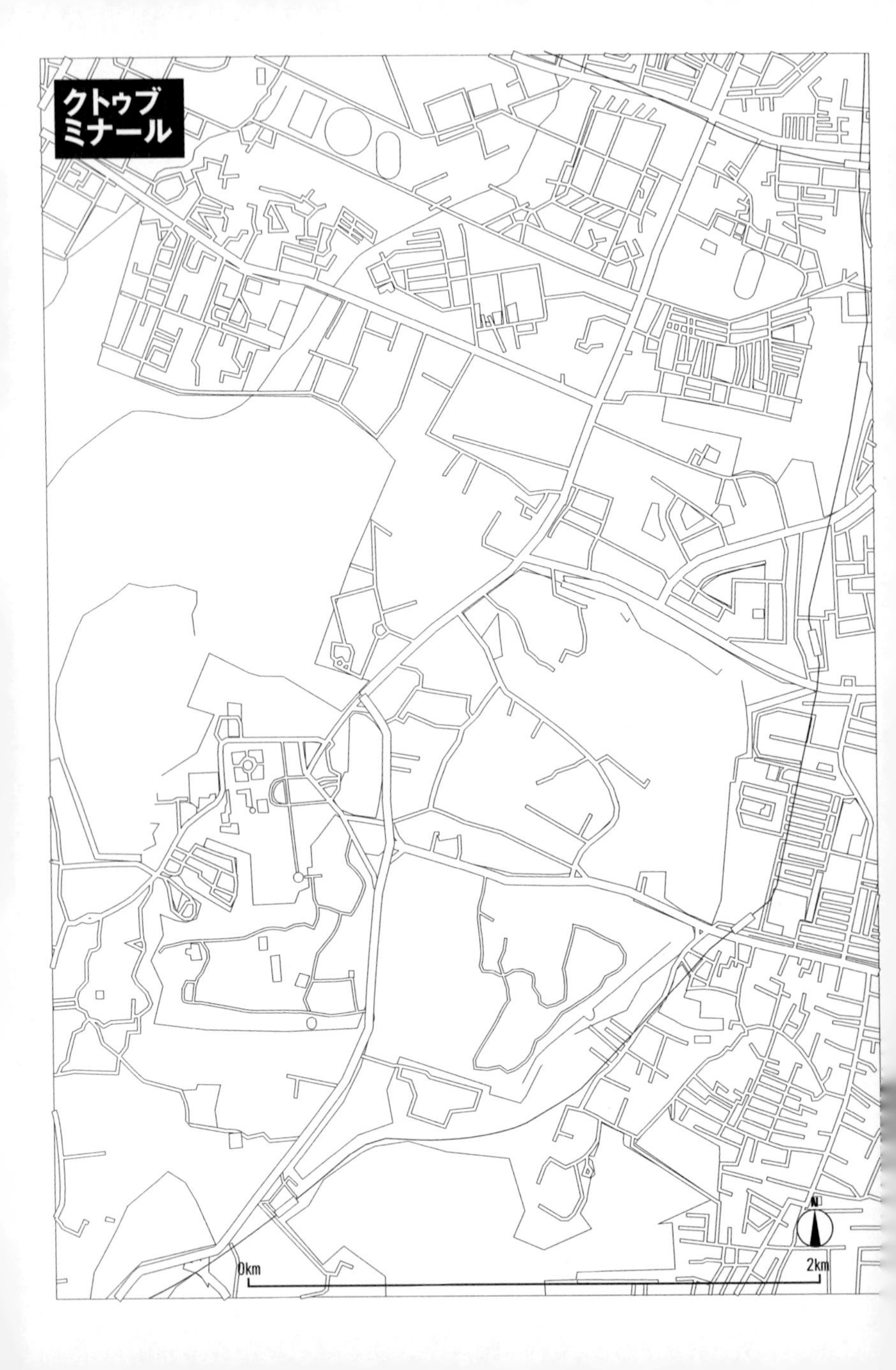

クトゥブ
ミナール
N
0km
2km

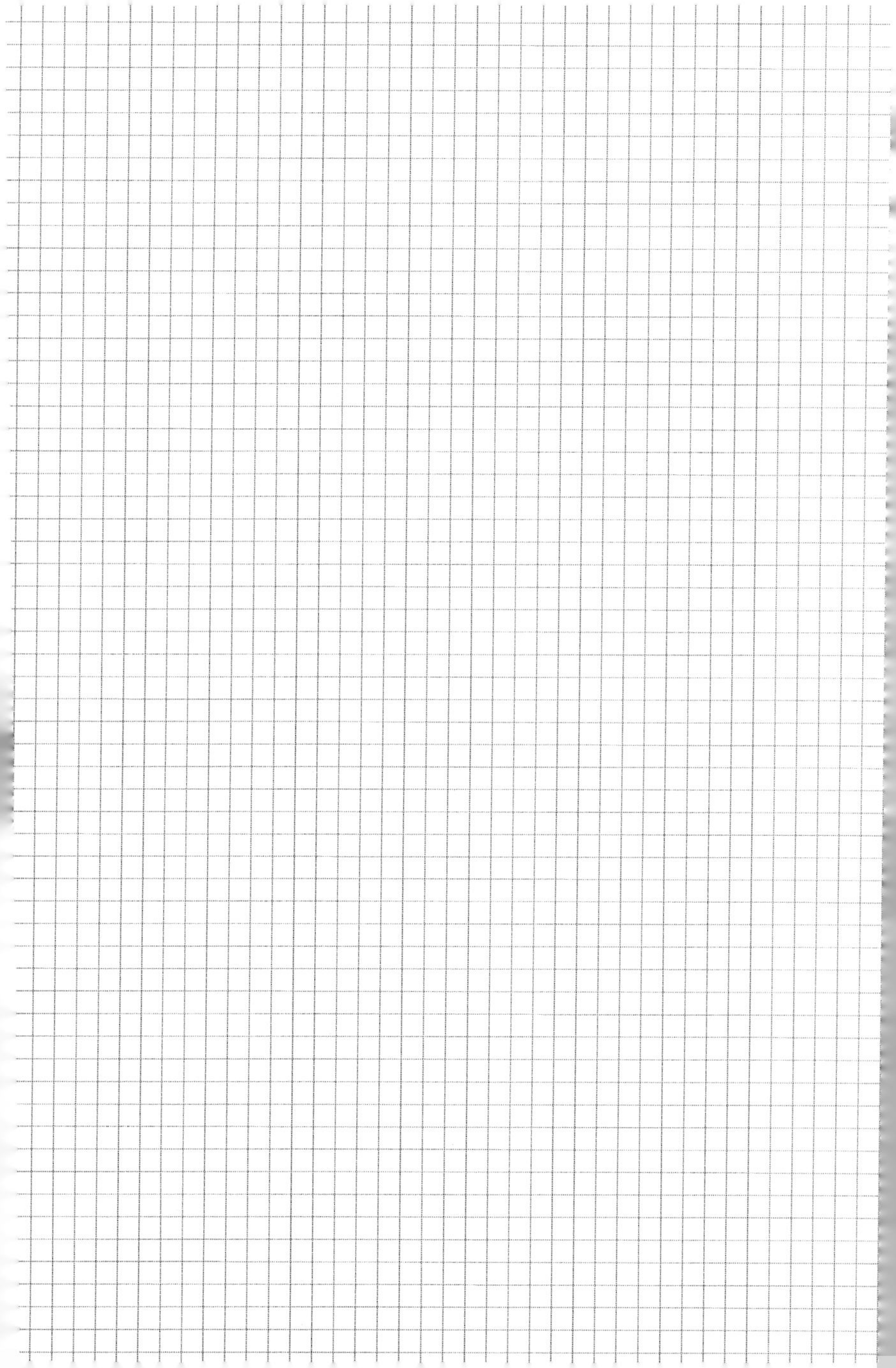

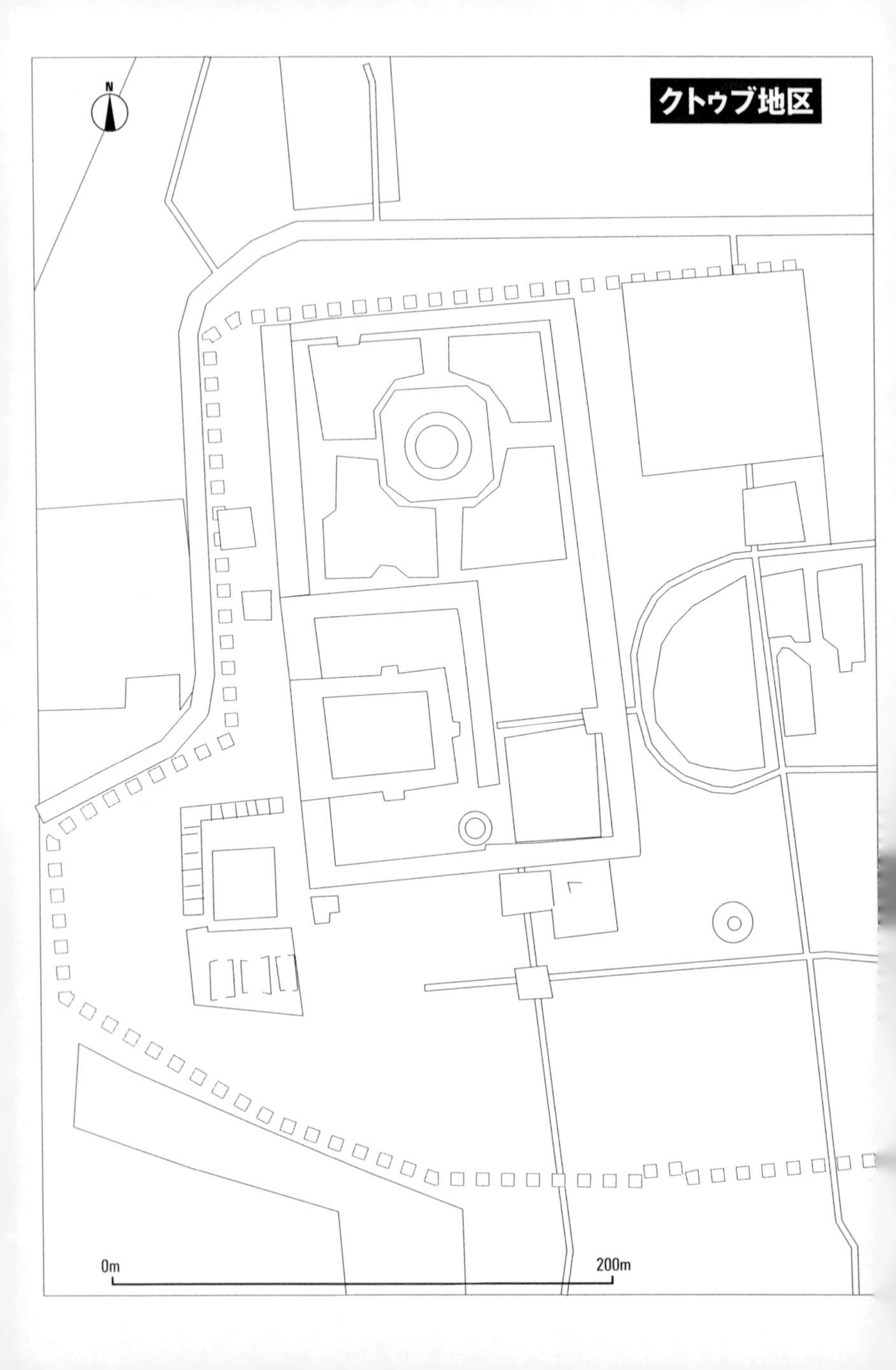
N
クトゥブ地区
0m
200m

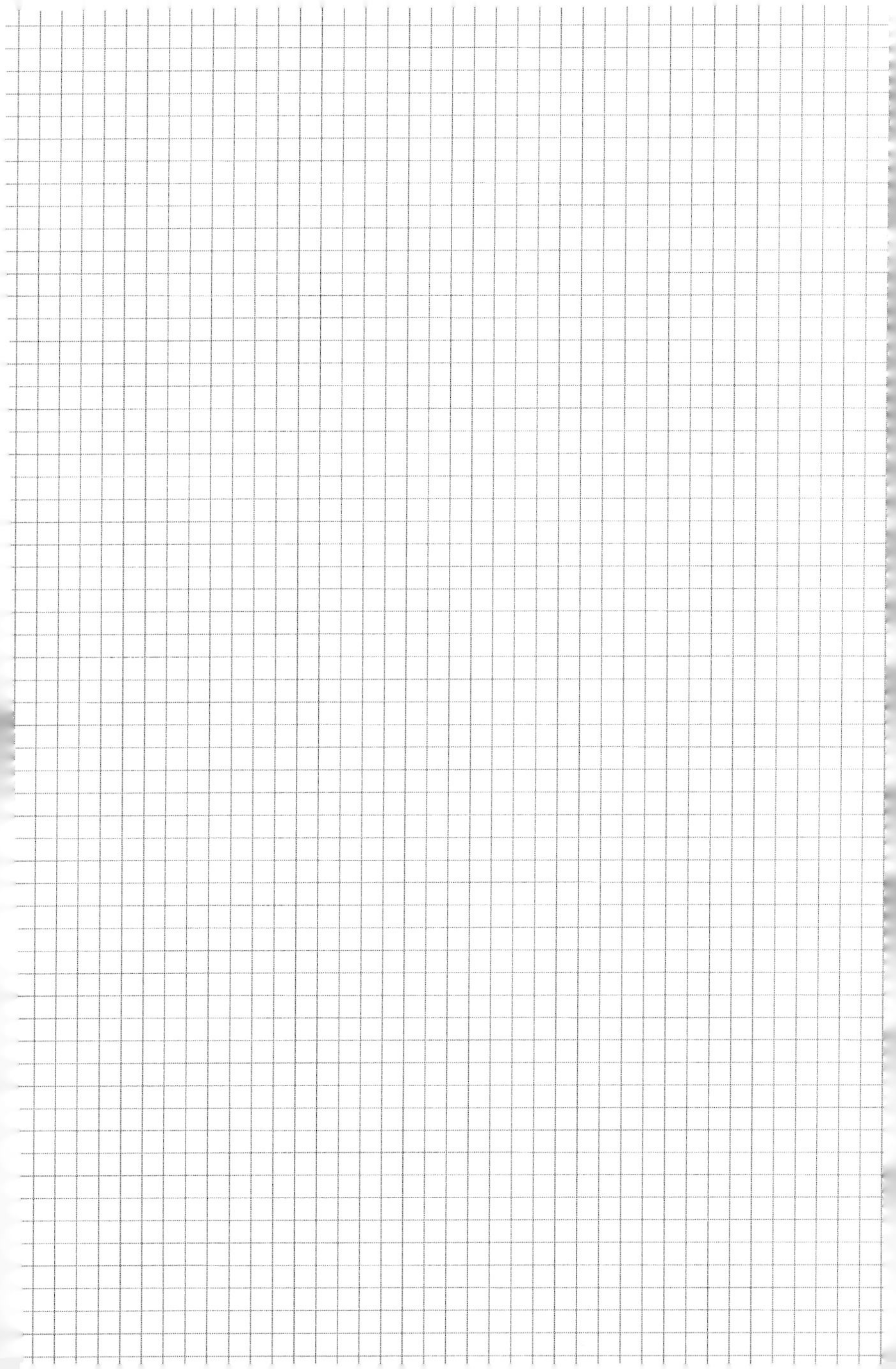

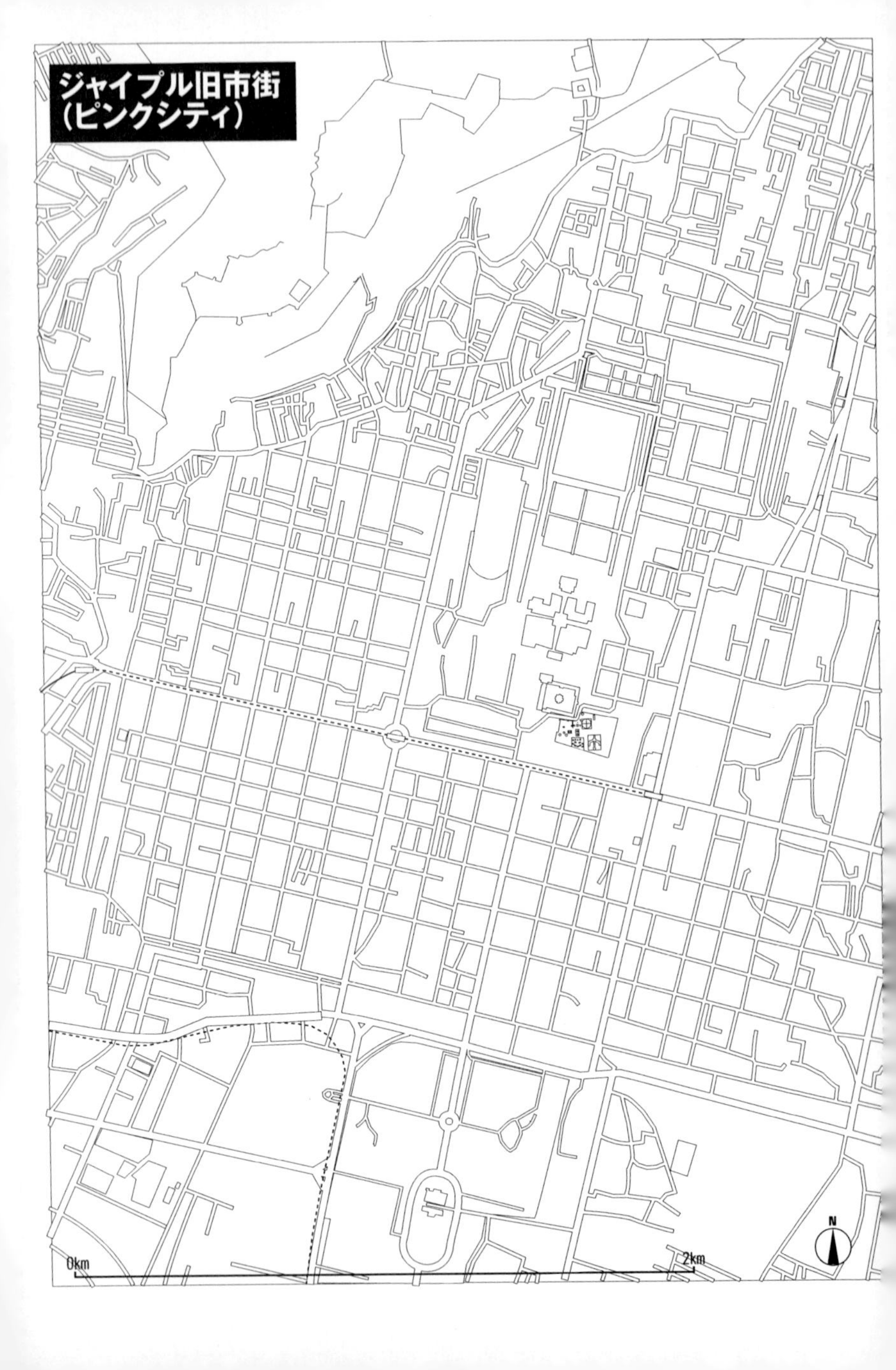
ジャイプル旧市街
(ピンクシティ)
N
0km
2km

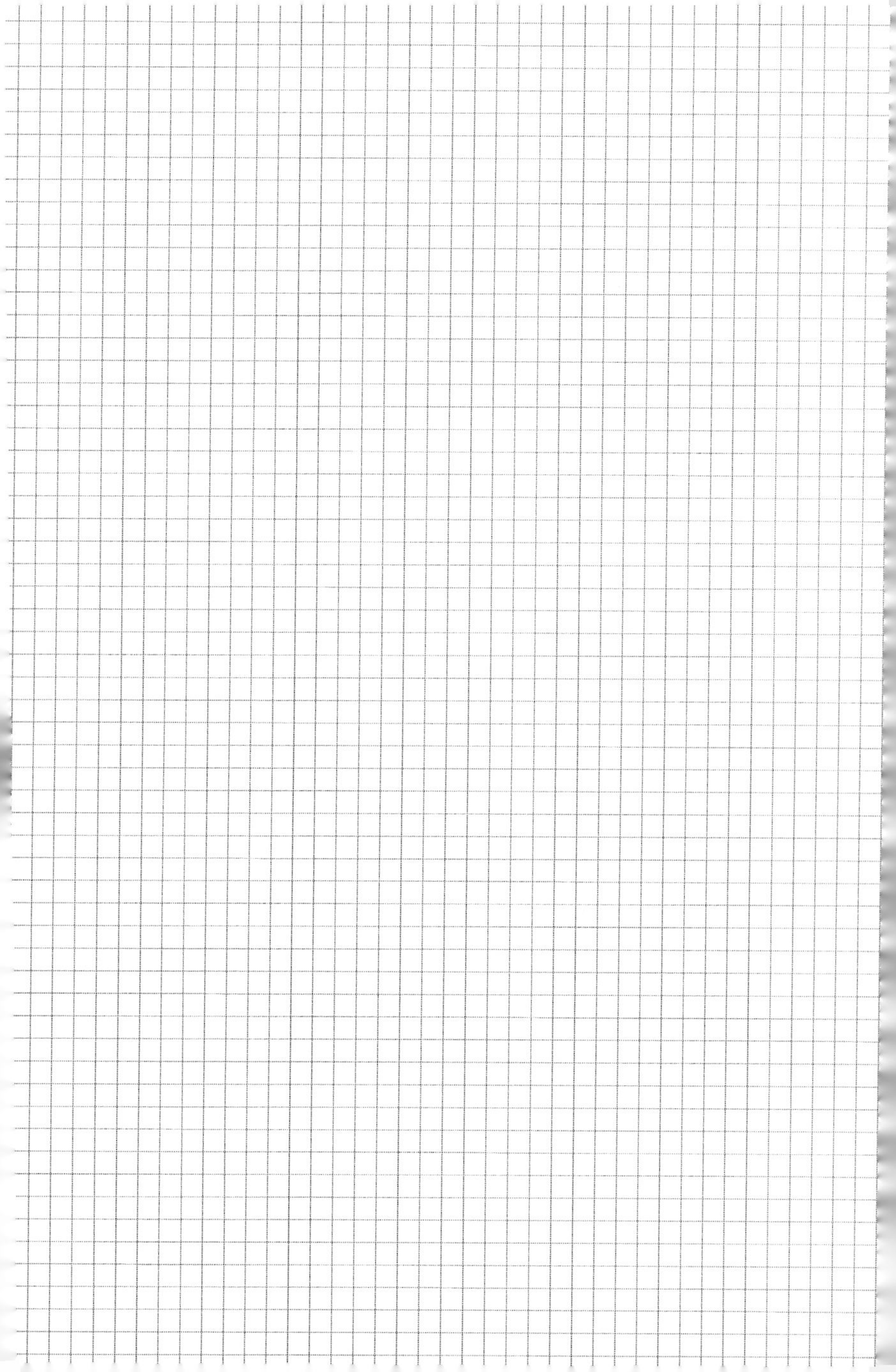

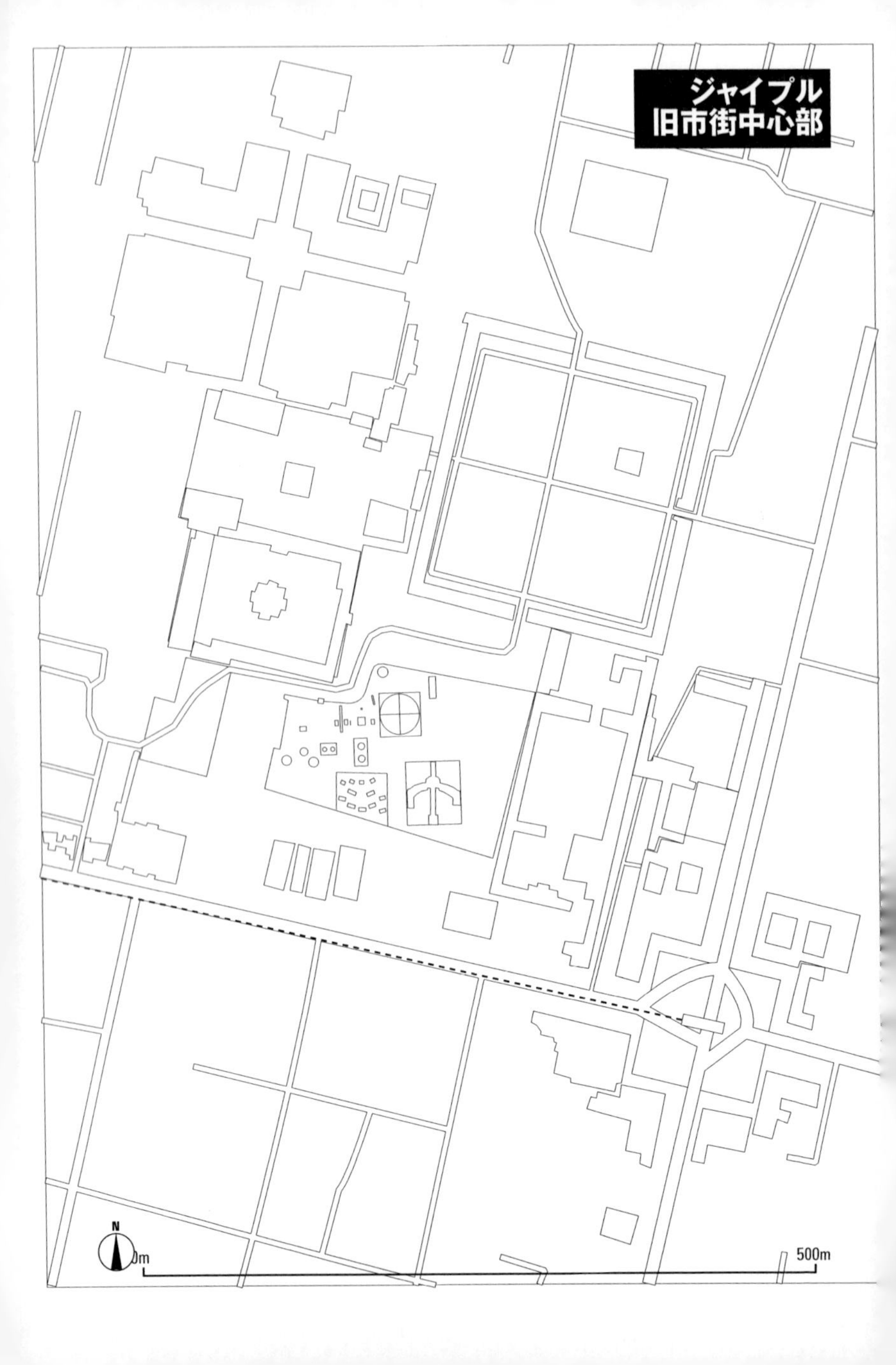
ジャイプル
旧市街中心部
N
0m
500m

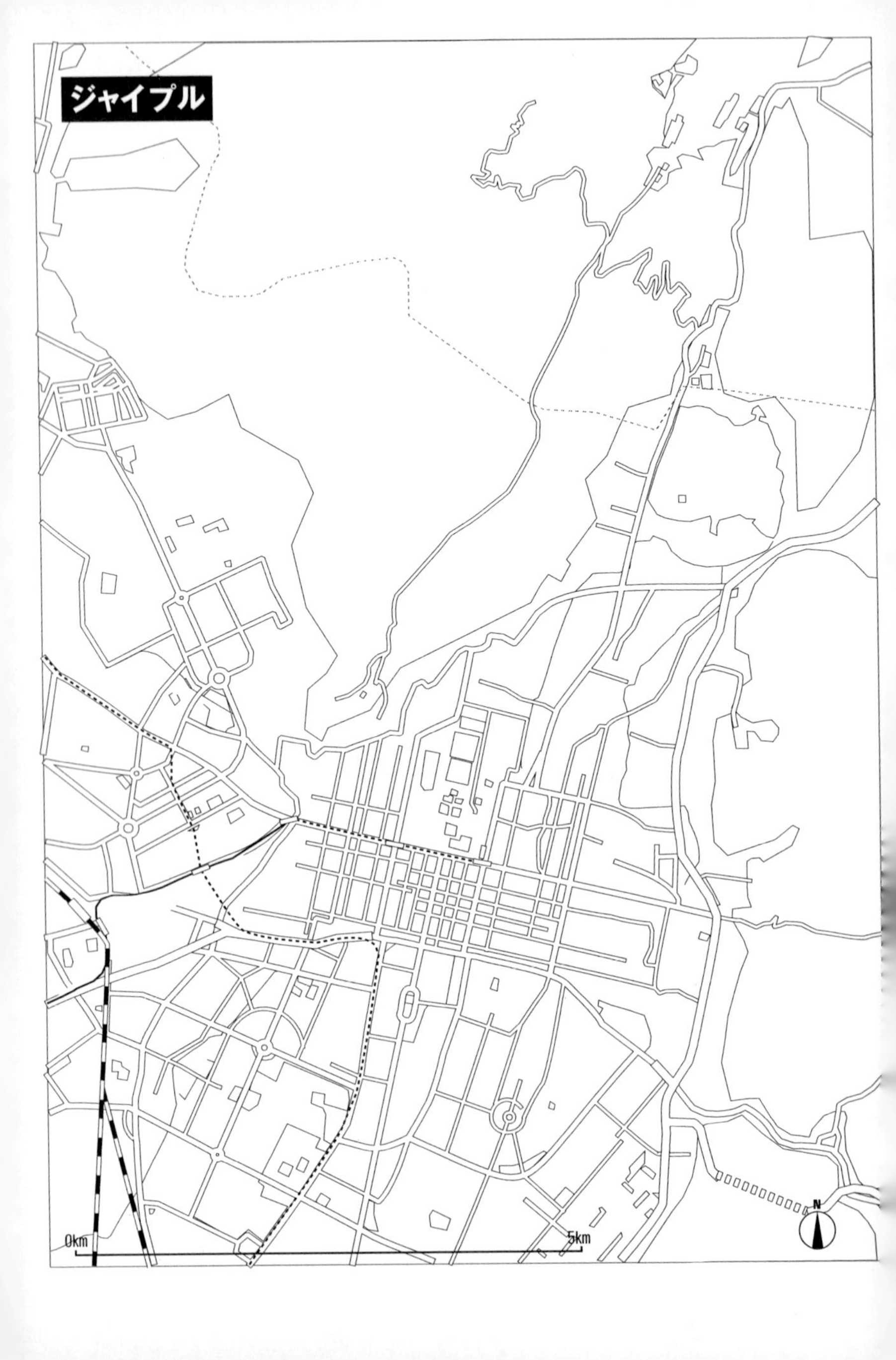
ジャイプル
0km
5km
N

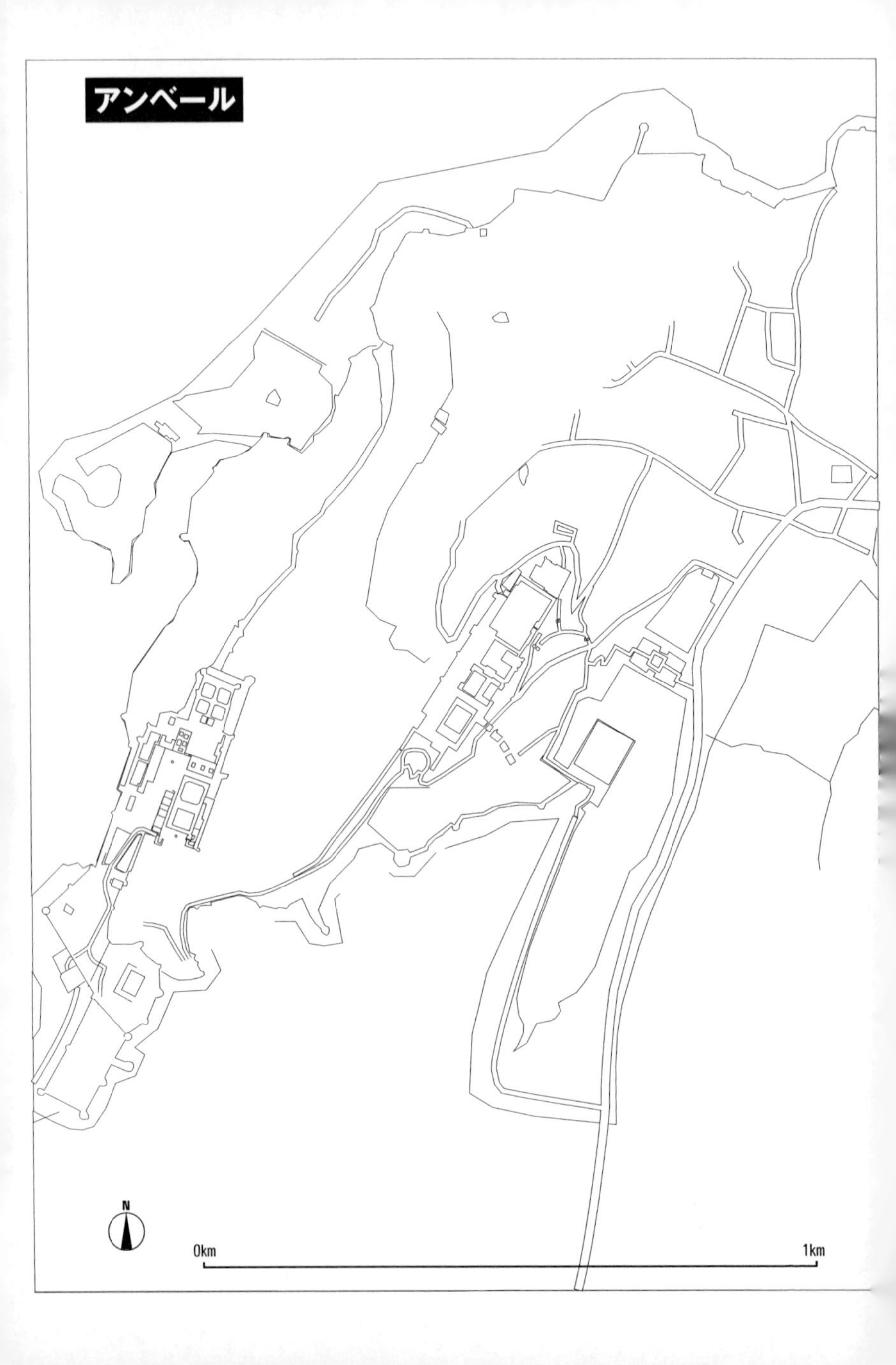
アンベール
N
0km
1km

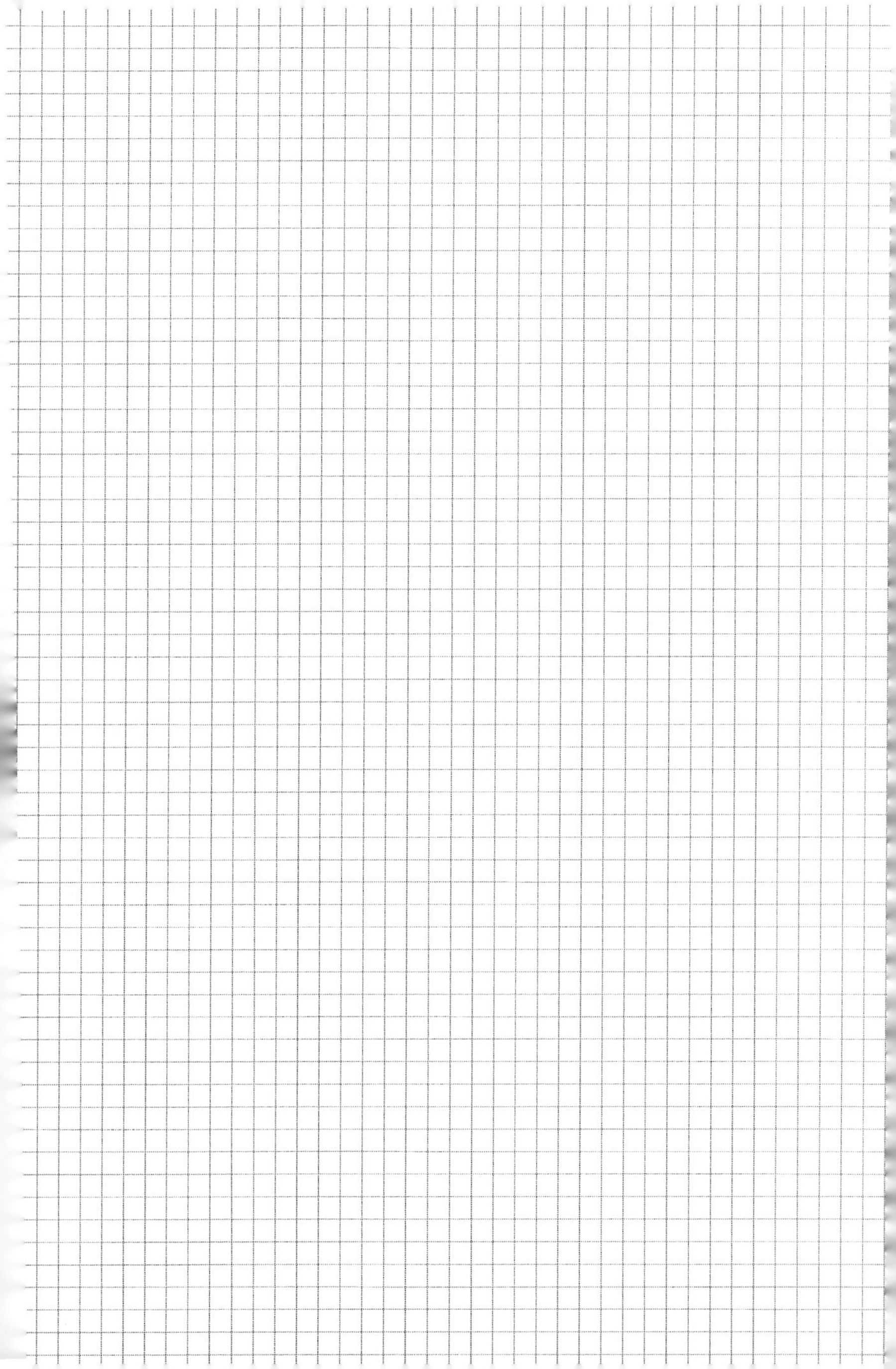

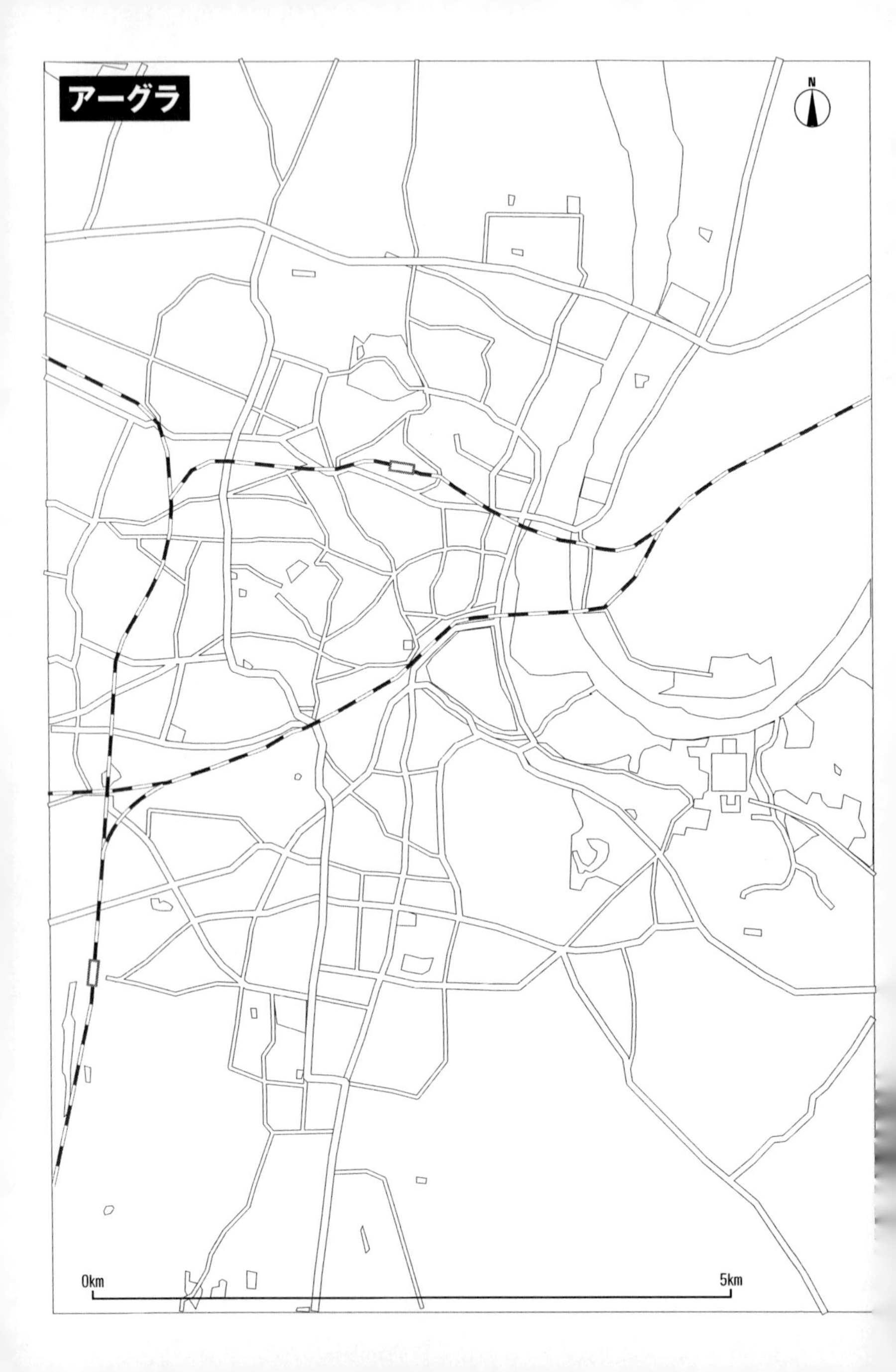
アーグラ
N
0km
5km

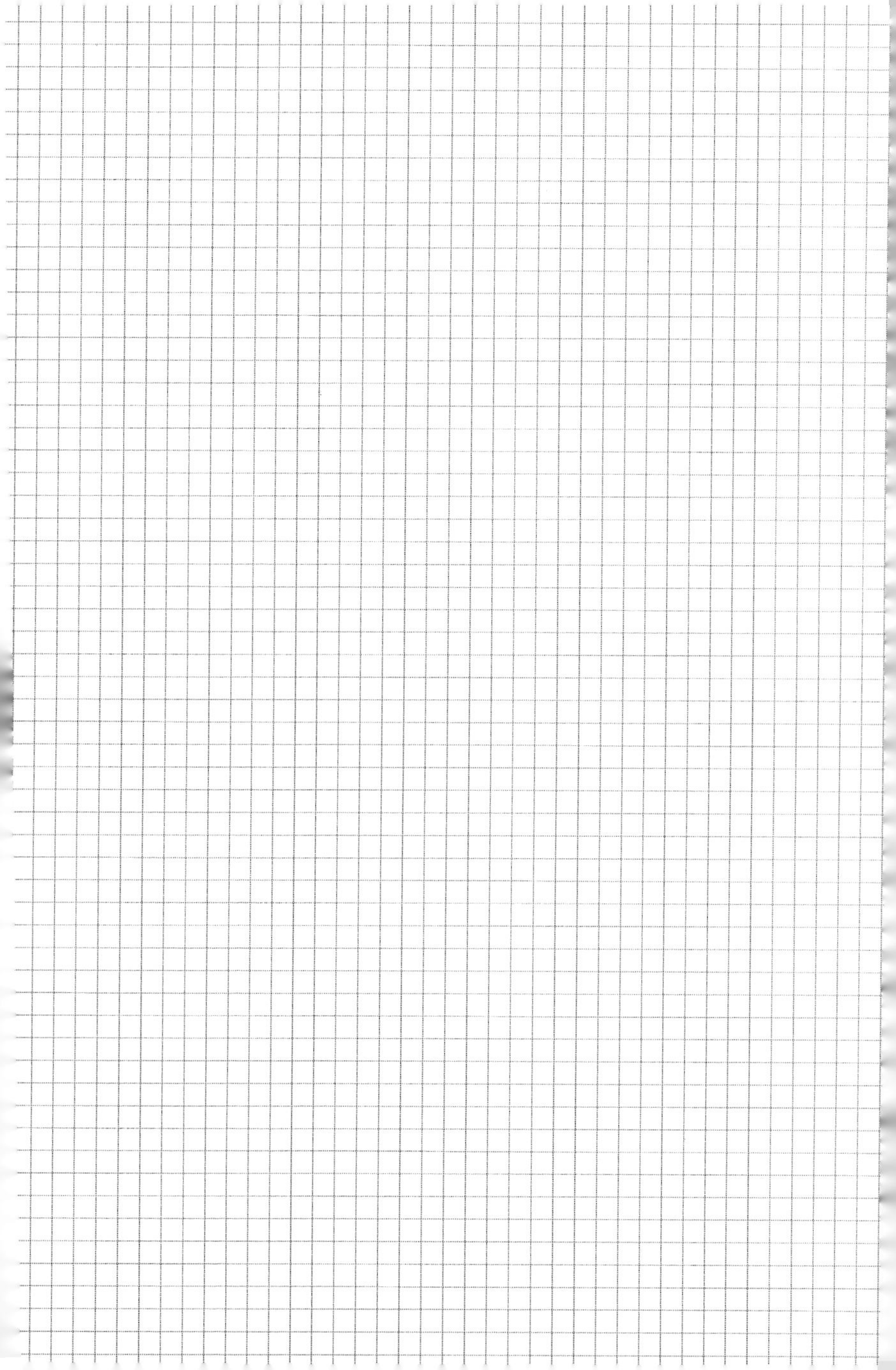

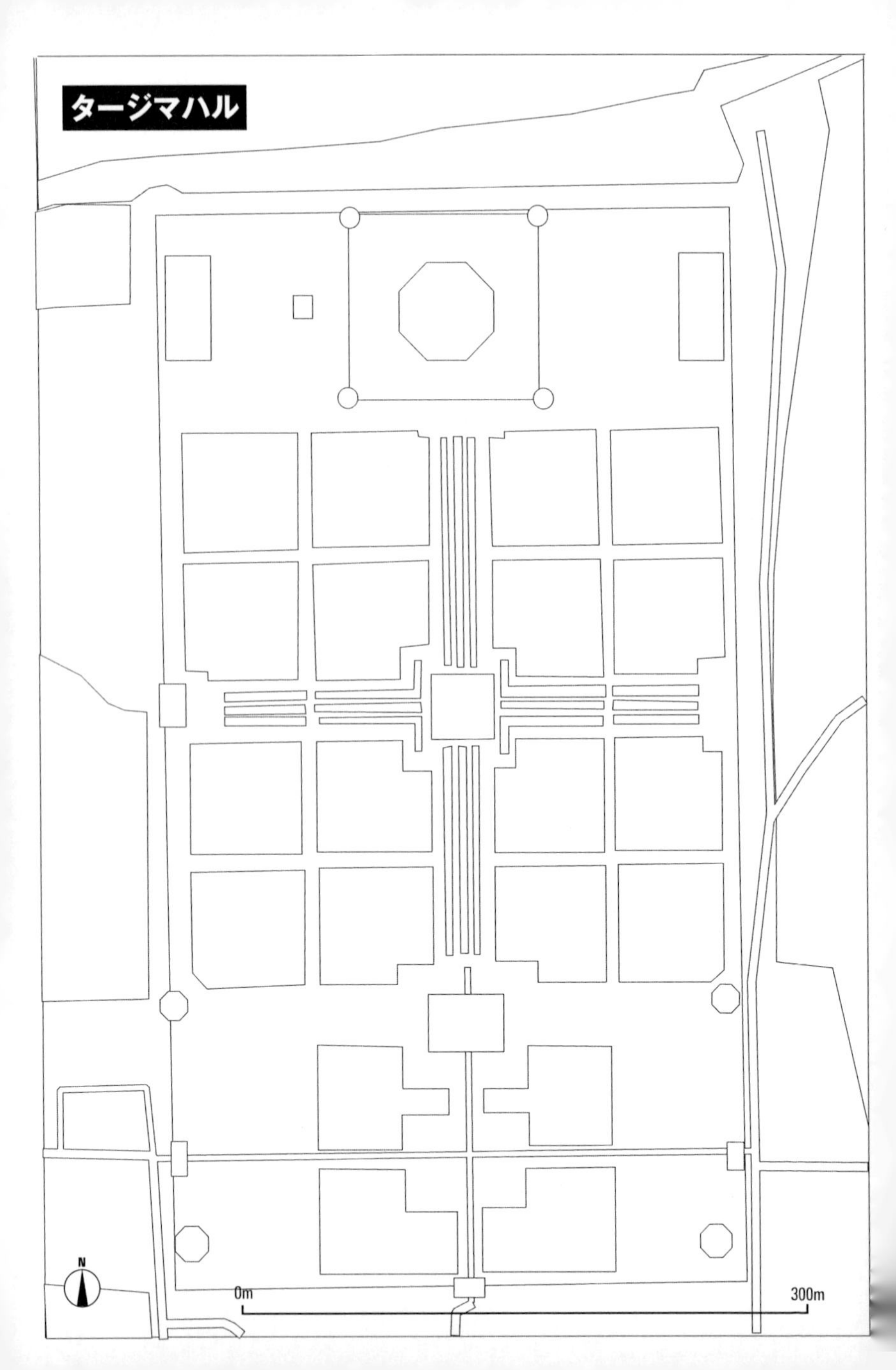

タージマハル
N
0m
300m

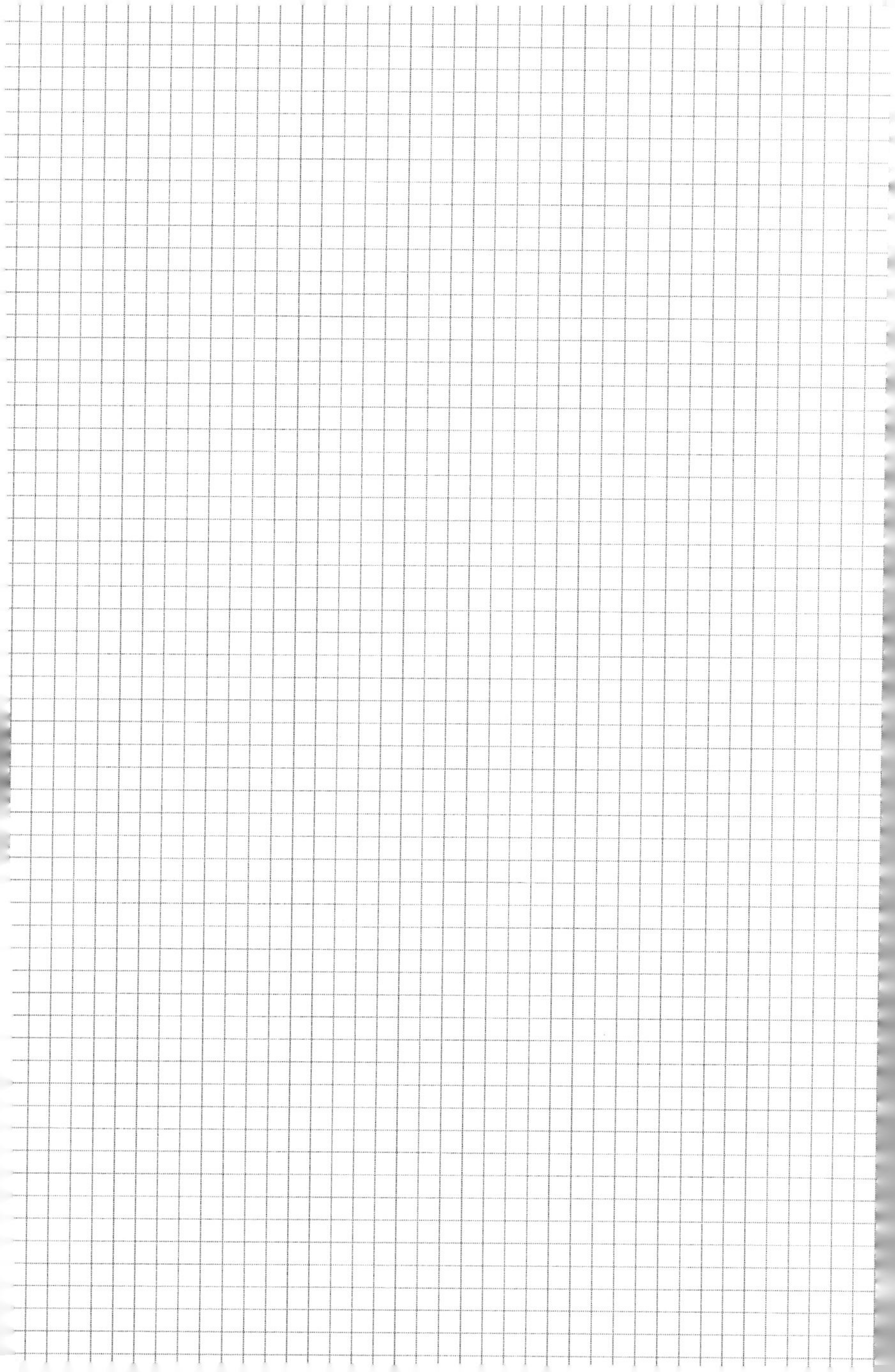

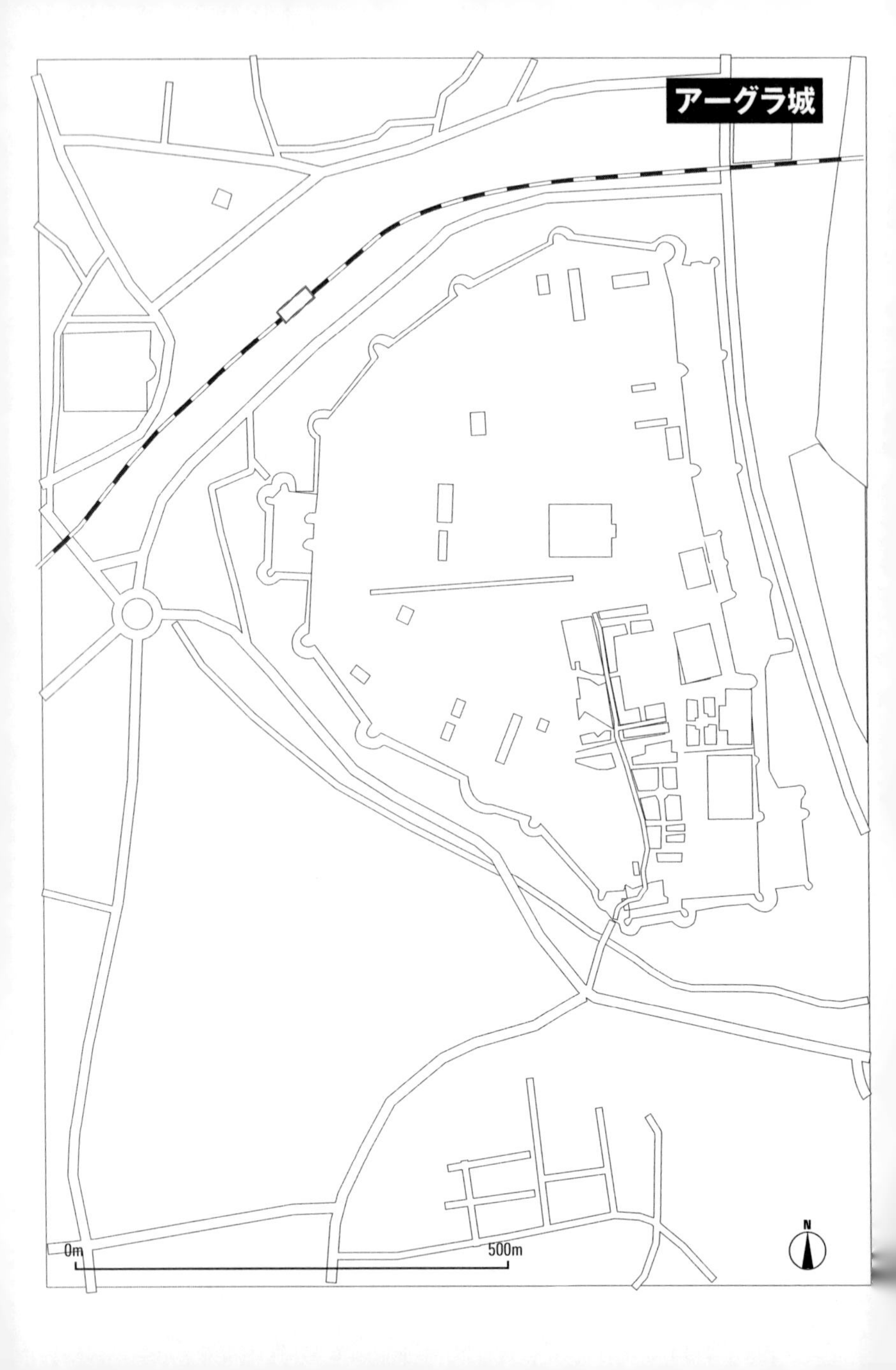
アーグラ城
0m
500m
N

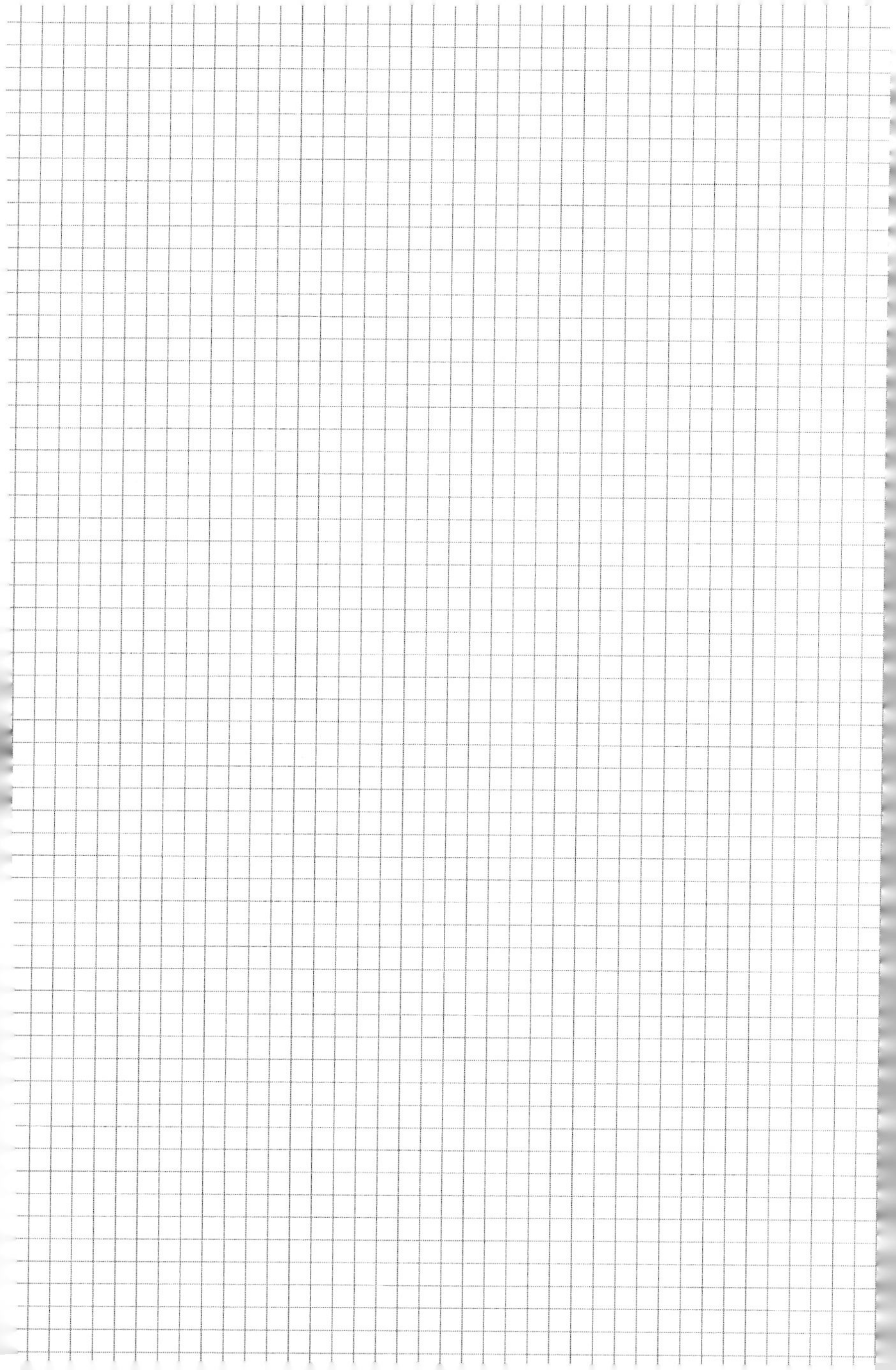

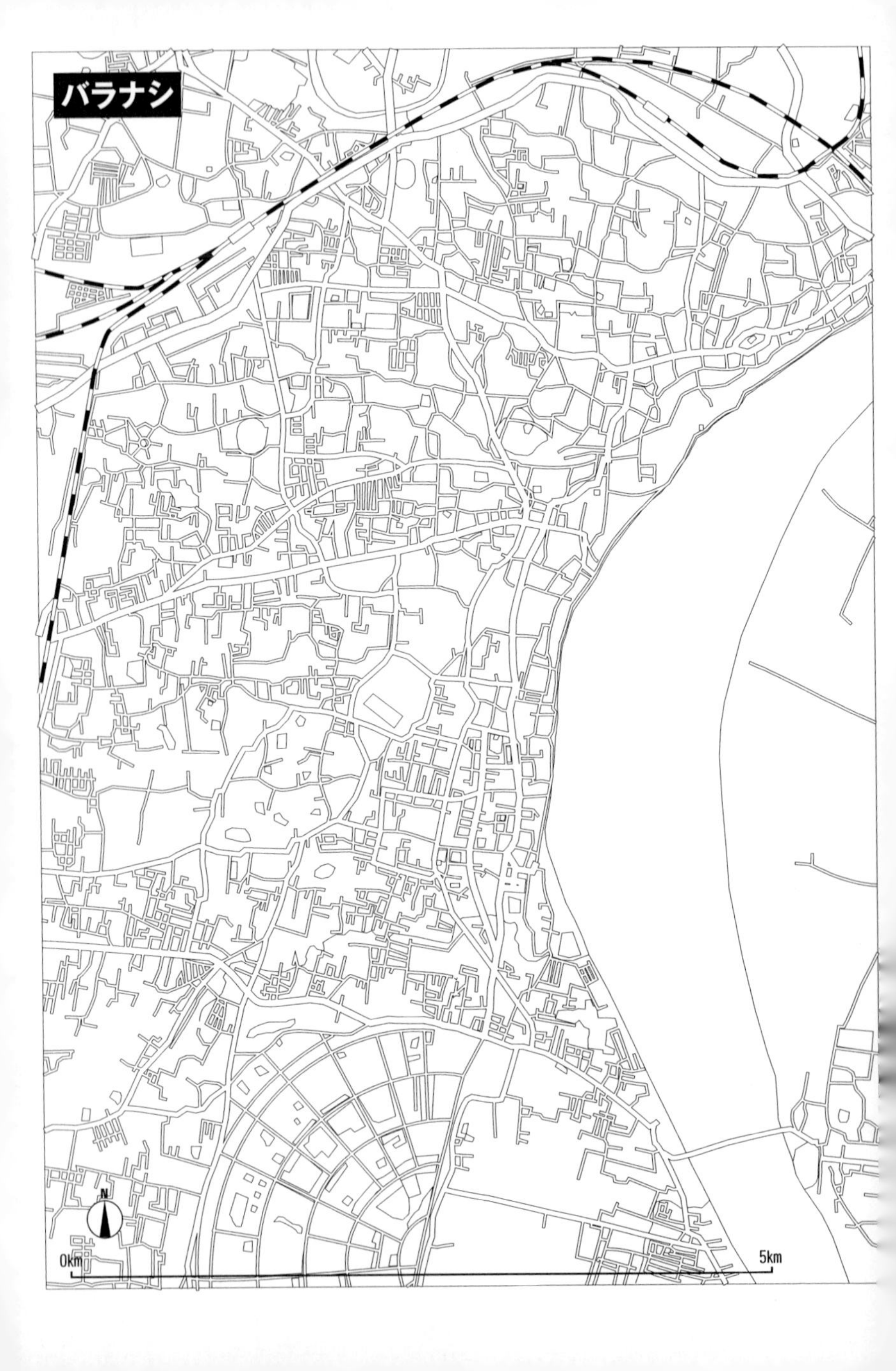
バラナシ
N
0km
5km

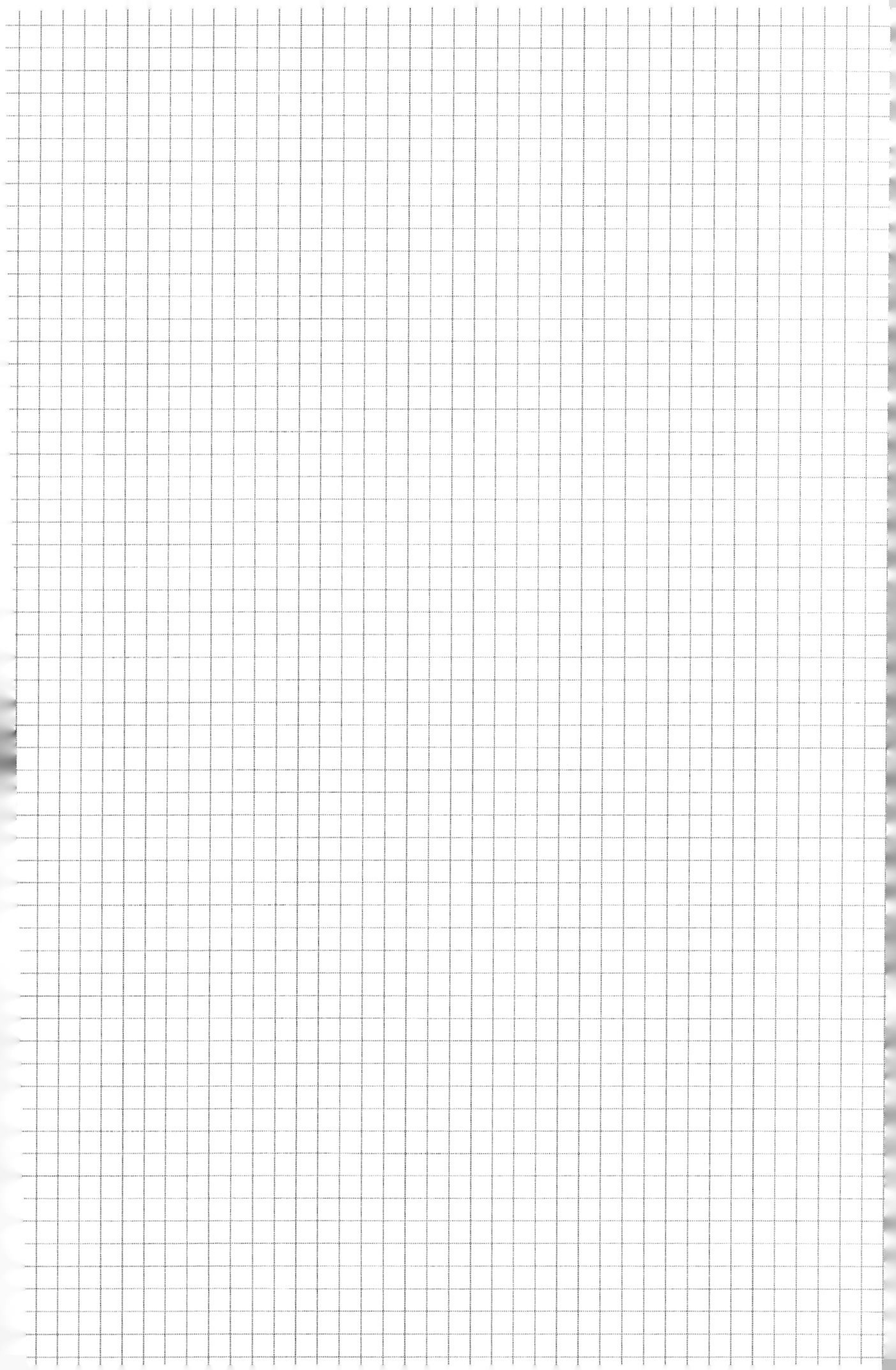

バラナシ旧市街
（ガンジス河）
N
0km
2km

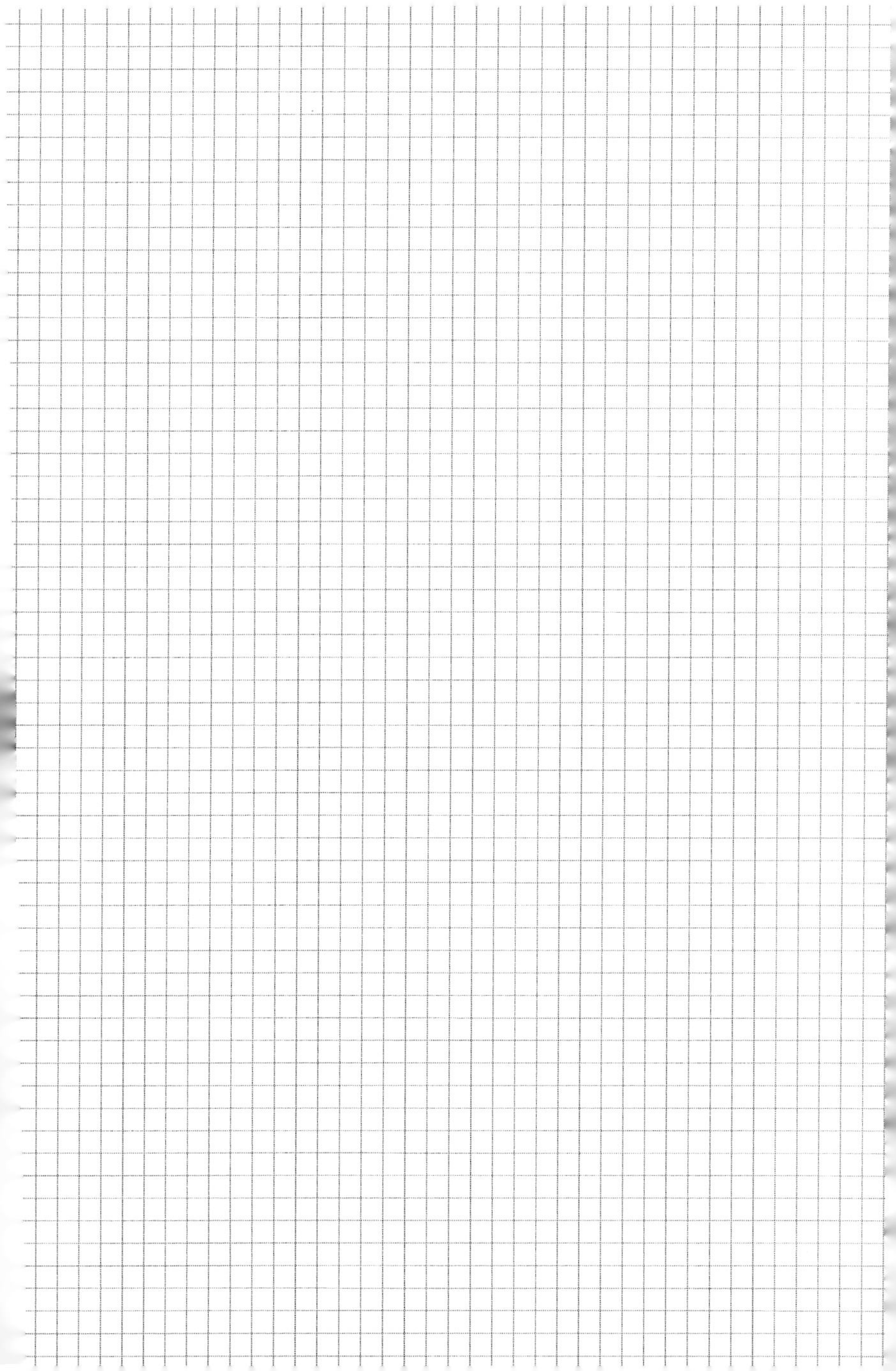

バラナシ旧市街
（ガンジス河）
N
0km
2km

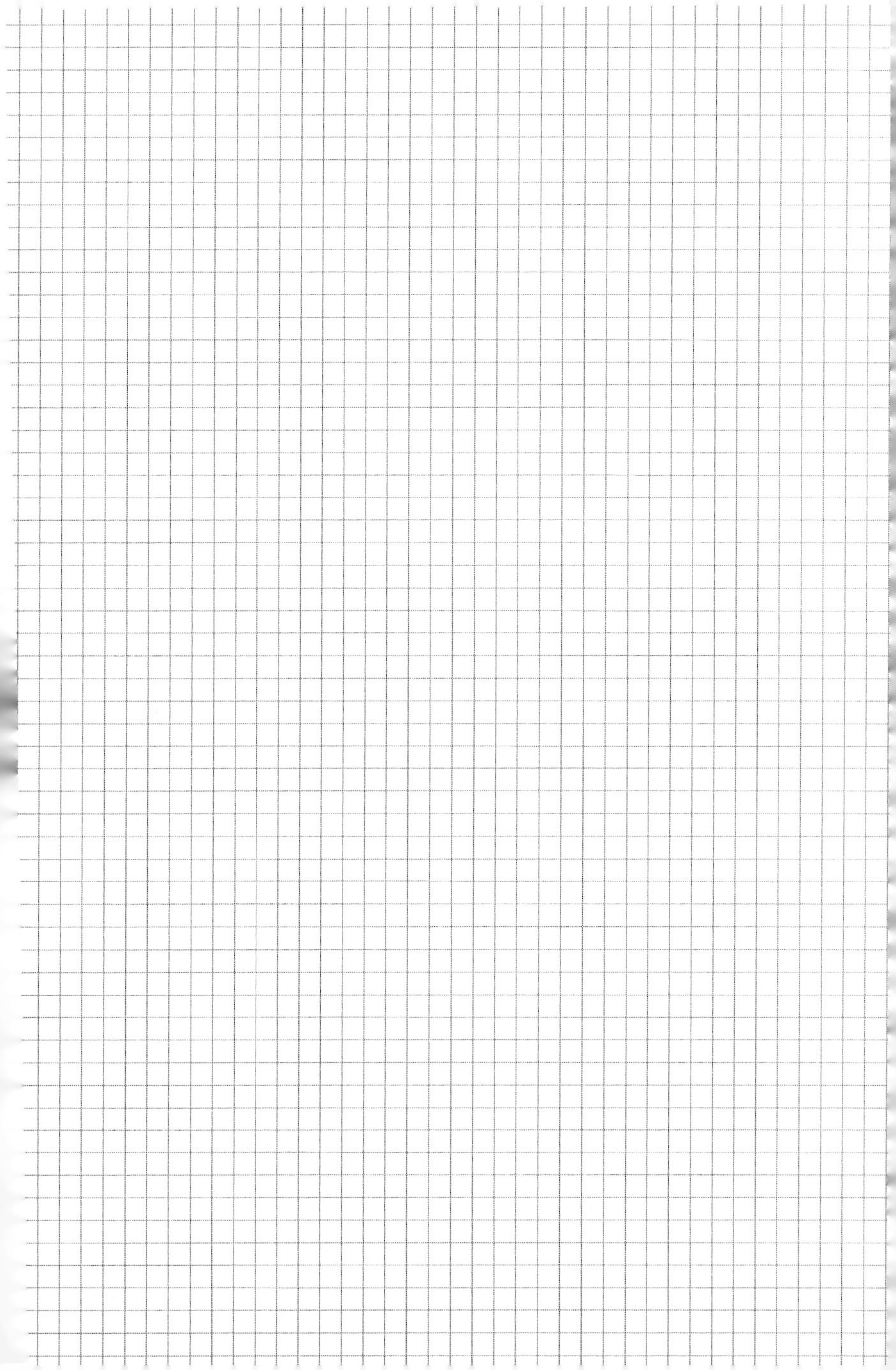

ダシャーシュワメードガート
N
0m
300m

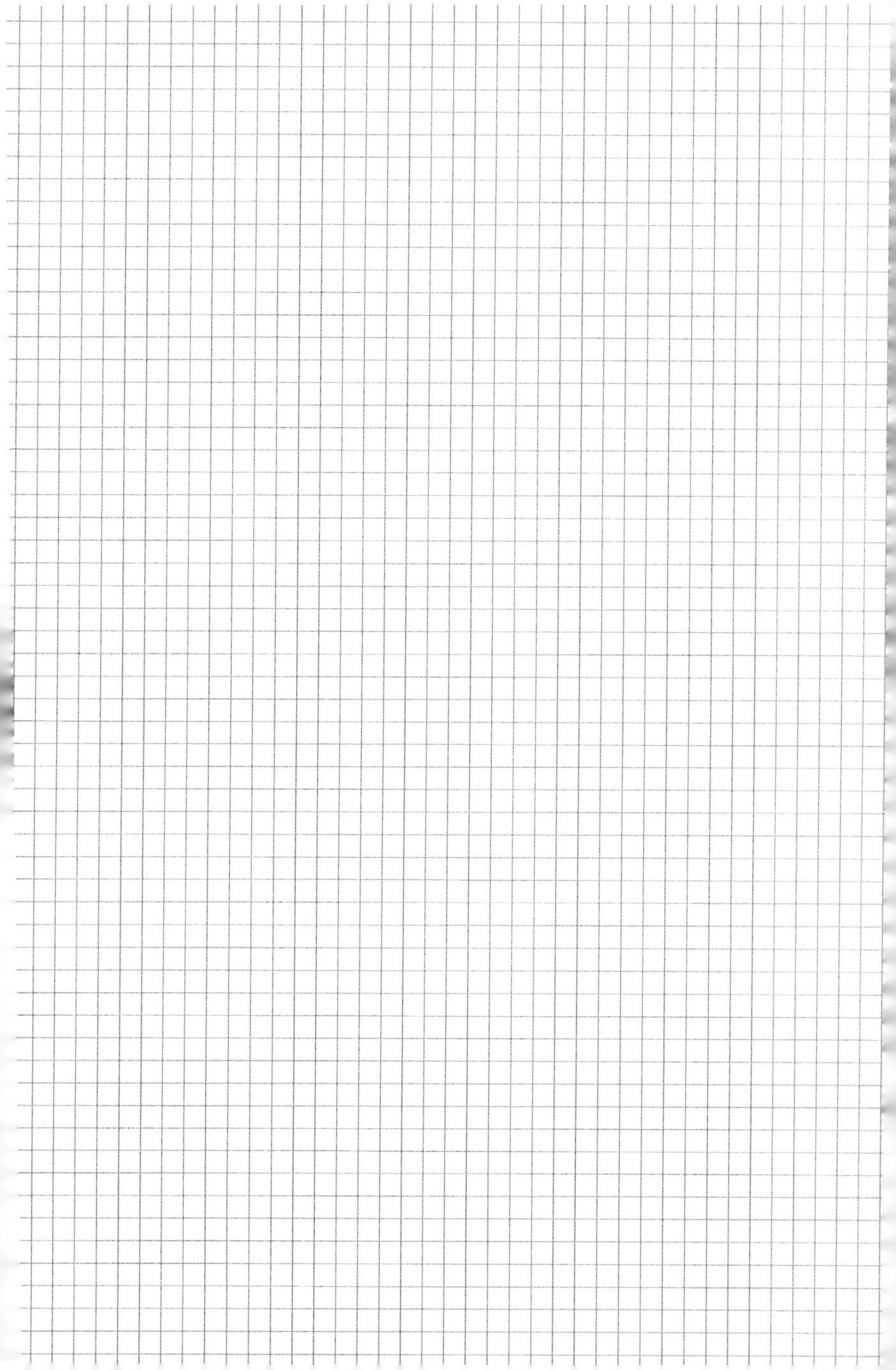

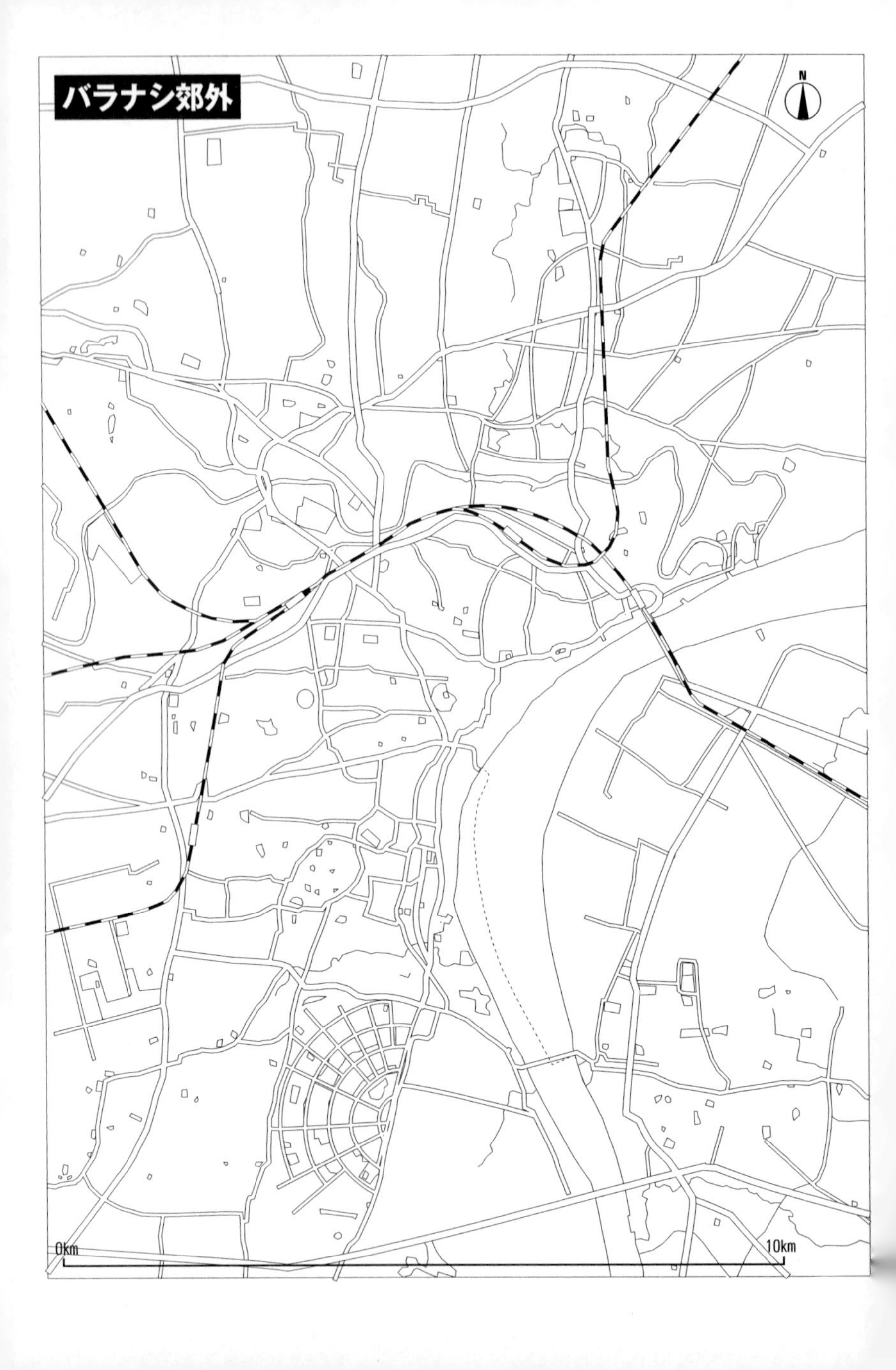
バラナシ郊外
N
0km
10km

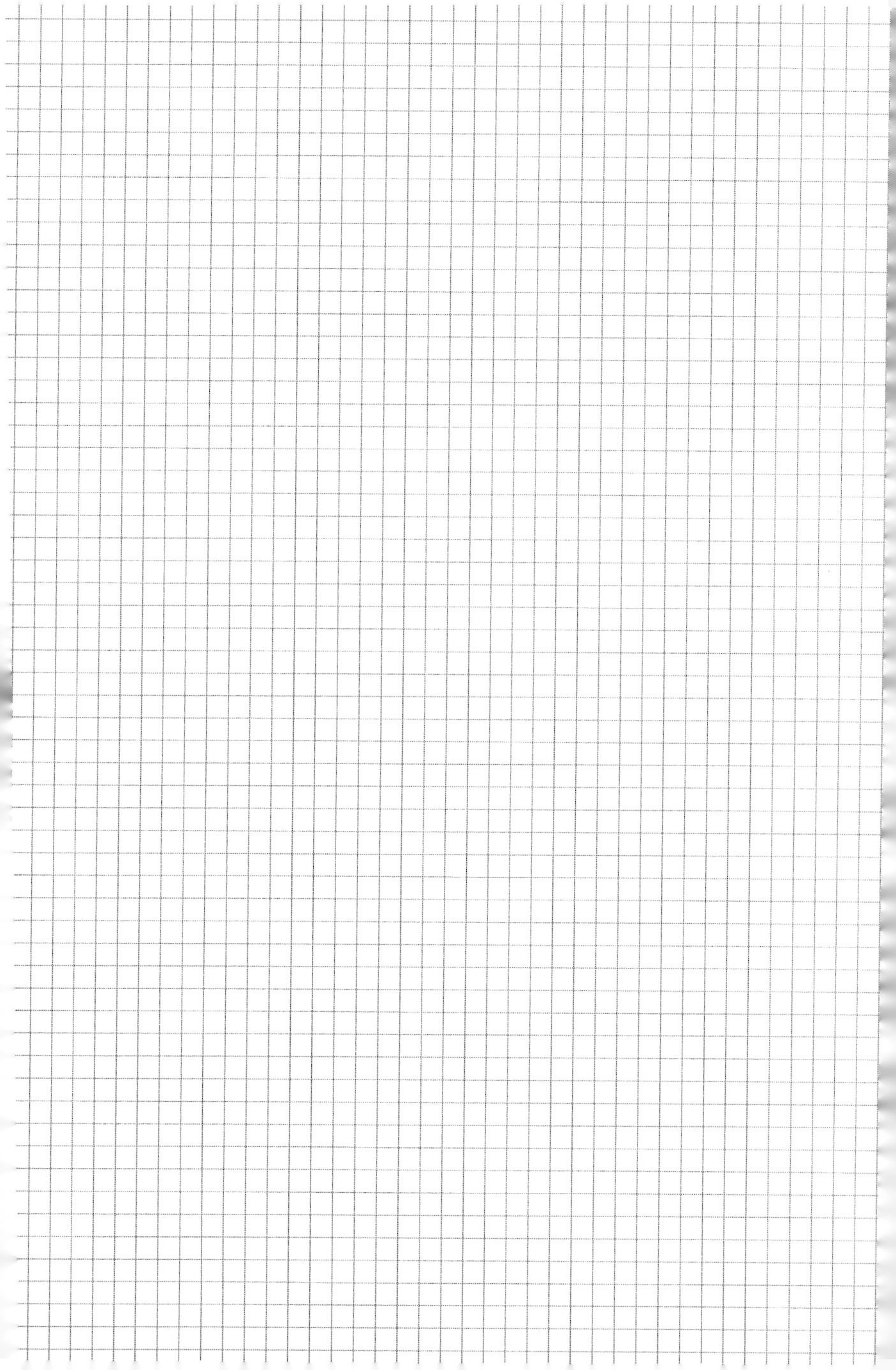

サールナート
0km
1km
N

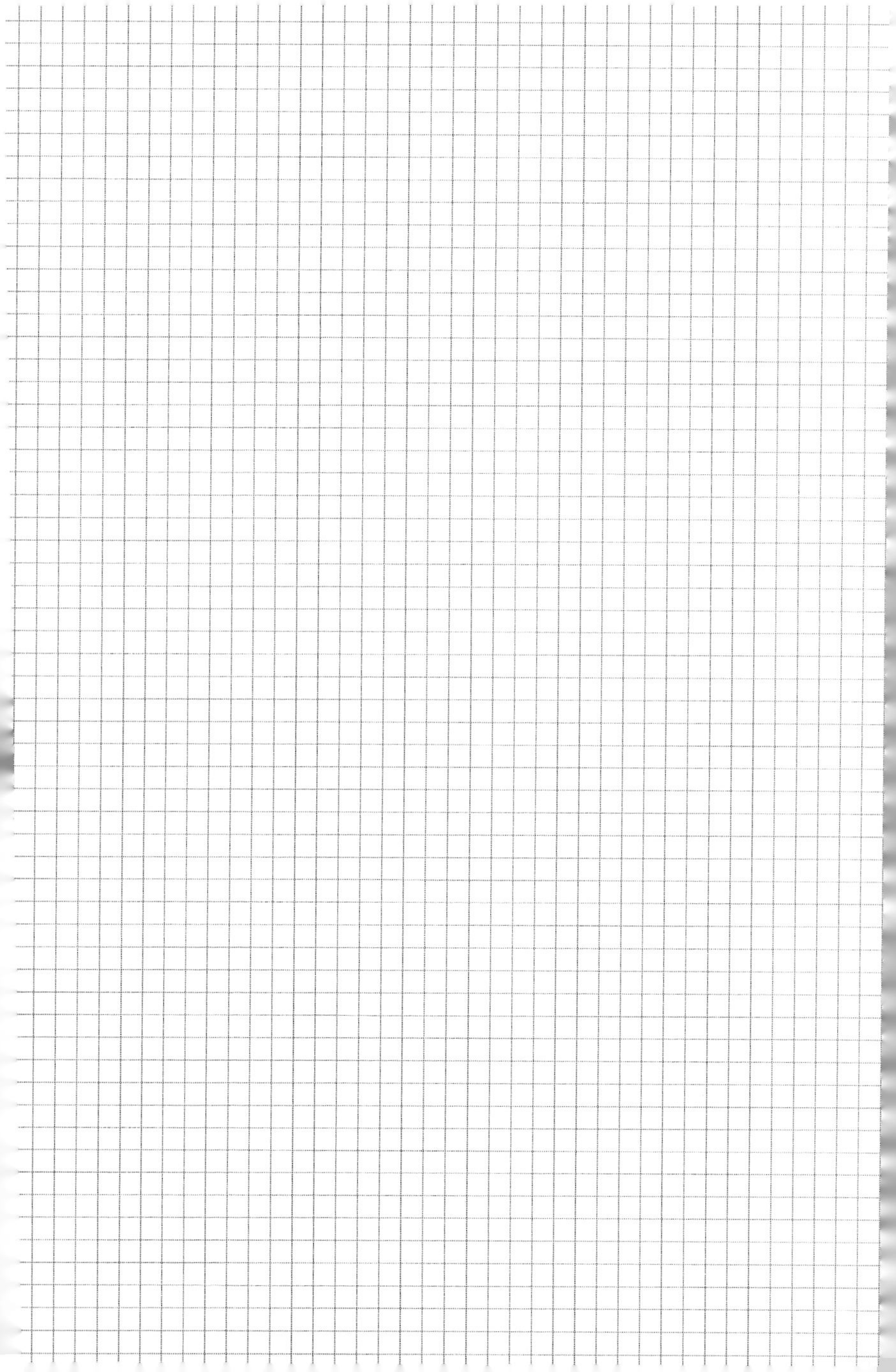

【車輪はつばさ】

南インドのアイラヴァテシュワラ寺院には
建築本体に車輪がついていて
寺院に乗った神さまが
人びとの想いを運ぶと言います

An amazing stone wheel of the Airavatesvara Temple
in the town of Darasuram, near Kumbakonam in the South India

まちごとインド
北インド 001

はじめての北インド

デリー・ジャイプル・アーグラ・バラナシ

［モノクロノートブック版］

「アジア城市（まち）案内」制作委員会
まちごとパブリッシング
http://machigotopub.com

・本書はオンデマンド印刷で作成されています。
・本書の内容に関するご意見、お問い合わせは、発行元の
　まちごとパブリッシング info@machigotopub.com までお願いします。

まちごとインド
新版 北インド001はじめての北インド
〜デリー・ジャイプル・アーグラ・バラナシ

2020年 9月11日　発行

著　者	「アジア城市（まち）案内」制作委員会
発行者	赤松　耕次
発行所	まちごとパブリッシング株式会社 〒181-0013　東京都三鷹市下連雀4-4-36 URL　http://www.machigotopub.com/
発売元	株式会社デジタルパブリッシングサービス 〒162-0812　東京都新宿区西五軒町11-13 清水ビル3F
印刷・製本	株式会社デジタルパブリッシングサービス URL　http://www.d-pub.co.jp/

MP311

ISBN978-4-86143-463-1　C0326　　Printed in Japan